Laurent Brillant

PROMIS
À LA
GLOIRE:
TOI

YVES GIRARD

O.C.S.O.

PROMIS
À LA
GLOIRE:
TOI

2e impression
1994

Du même auteur, aux Éditions Anne Sigier :

Solitude graciée, 1981, 272 p.

Lève-toi, resplendis, 1983, 340 p.

Naissances, 1986, 80 p.

Aubes et lumières, 1988, 304 p.

Je ne suis plus l'enfant de la nuit, 1992, 240 p.

Édition :	Éditions Anne Sigier 2299, boul. du Versant-Nord Sainte-Foy (Québec) G1N 4G2
	Éditions Anne Sigier France 28, rue de la Malterie B.P. 3007 59703 Marcq-en-Barœul France
Couverture :	Photographie Quatre par Cinq, Inc.
ISBN :	2-89129-215-4
Dépôt légal :	Bibliothèque nationale du Canada Bibliothèque nationale du Québec 1993

L'EXPÉRIENCE MYSTIQUE [1]

Nos rêves auraient-ils trop d'envergure?

Il y a chez les humains des attitudes inexplicables.

Par exemple, tous sont dévorés par une intense soif de vivre, et une infime minorité à peine parvient à toucher la source tant convoitée.

Serait-ce que chez nous le désir outrepasse le réel?

Est-ce que les rêves que nous pouvons enfanter auraient plus d'envergure que ce qui nous est préparé?

Notre soif essentielle devrait-elle être condamnée à vivre comme une éternelle amputée?

Nos antennes auraient-elles la possibilité de capter des ondes qui ne nous seraient pas destinées?

Et le fait de prêter attention à ces appels qui veulent nous arracher à nous-mêmes nous conduirait-il à vivre de façon inconséquente avec la vérité de notre nature d'«animal raisonnable»?

---

[1] Une partie de ce chapitre a été publiée aux Éditions Paulines (1990) dans un volume en collaboration, sous le titre *Des gestes d'Amour*.

Quand le cœur profond est réduit au silence

Dans un monde d'efficacité et de performances, les valeurs de vie, comme l'écoute et le respect, sont mal venues et elles ont bien du mal à respirer.

Dans un univers où les messages criants de la nature ne sont plus entendus, comment pourrait-on prêter encore attention à la voix quasi imperceptible qui nous vient du plus profond de notre mystère ?

On ouvre si tardivement les yeux face à des désastres comme la désertification et la pollution.

Il nous faudra être conduits aux portes de la mort avant de consentir à changer quelque chose à notre comportement.

Comment s'étonner, dès lors, que notre cœur profond soit réduit au même silence que les éveilleurs de conscience, souvent accusés d'exagération et de zèle intempestif ?

Le silence obligé de tous ceux-là atteint alors à une intensité et à une puissance comparables à celles du Christ durant sa passion.

Hérode et Pilate entrent dans leurs petits souliers, mais n'en continuent pas moins leur trajectoire irresponsable.

Préparer le bonheur au point de l'oublier

Quand on fait *la sourde oreille* à des phénomènes comme l'écologie menacée (la désertification, les forêts surexploitées, les rivières polluées, etc.) et que l'on sait par ailleurs que l'important réside dans le « raffinement » de notre oreille et non dans l'« intensification » des décibels ; dans l'écoute des « moindres mouvements du cœur profond » et non dans « l'accumulation » des idées claires, on est justifié de craindre le pire.

En effet, à force de voir, à force d'entendre, à force de toucher et de sentir, nous en venons à utiliser à outrance nos sens externes et à tout attendre d'eux.

N'étant pas suffisamment mises à contribution, nos facultés spirituelles risquent de s'atrophier, tout comme à force de travailler pour être heureux, on devient peu à peu incapable de goûter le vrai bonheur.

Les moyens pour atteindre au bonheur deviennent plus importants que le bonheur lui-même.

Il y a plus de satisfaction à poursuivre le bonheur qu'à y entrer pour en vivre, comme il y a souvent plus de satisfaction à gagner de l'argent qu'à profiter de l'aisance à laquelle il nous donne accès.

C'est là une sorte de perversion qui n'est pas encore inscrite dans nos codes d'éthique.

C'est dire à quel point nous sommes loin de nous-mêmes et de notre vérité!

Les valeurs fondamentales de la vie sont facilement perçues comme un luxe, mais quand elles sont absentes dans une société, cette dernière devient bien vite un enfer.

Alors, à la honte de l'humanité, on invente les camps de la mort et les goulags.

Le mysticisme et l'amour

Le mot « amour » recouvre une multitude de sens.

Il peut désigner l'acte héroïque en vertu duquel quelqu'un va jusqu'au sacrifice de sa vie et désigne tout aussi bien le geste égoïste de celui qui, dans une rencontre, ne cherche que son propre intérêt.

Le mot « mystique » recouvre lui aussi autant de significations divergentes, sinon simplement contradictoires [2].

Il s'agit d'un phénomène aussi vieux que le monde.

---

[2] « De l'avis commun des anciens et des modernes, l'union mystique signifie essentiellement une expérience du divin. Toute la question est de savoir comment cette expérience doit être entendue. On l'envisage aujourd'hui d'un point de vue purement et exclusivement psychologique. Sous cet angle, parler d'état mystique, c'est viser une expérience du divin accompagnée de certaines réactions particulières de l'âme. La conception qu'ont les modernes de l'état mystique est très différente de celle des anciens.

Risquons ici quelques définitions.

Laissons-nous seulement informer par l'ensemble, sans l'ombre d'une critique, sans céder à la tentation d'évaluer ou de comparer.

C'est à dessein qu'aucune référence n'est donnée.

« Pour déterminer la nature de la contemplation mystique, il est important de noter que la racine de cette connaissance approfondie dépasse la sphère psychologique.

« L'expérience mystique, selon la nouvelle manière de voir, n'est pas toujours ni nécessairement constatable comme une action et une réaction tout à fait spéciales de nos facultés. C'est ainsi qu'on peut appeler l'expérience mystique du mot paradoxal d'*expérience transpsychologique*. Ce qui ne signifie pas que l'expérience mystique se déroule totalement au-delà de la sphère psychologique.

« La vie psychique pourra en être plus ou moins affectée d'après les dispositions de chacun, l'intensité de l'expérience ou un don particulier de la grâce. Ce phénomène pourra d'ailleurs se manifester avec plus ou moins de constance suivant la conformité des tempéraments. C'est ce que l'on constate depuis l'époque de la mystique espagnole.

« L'expérience mystique n'est pas nécessairement liée à un état psychologique particulier, quoiqu'elle ait sa nature propre qui, comme pour la foi surnaturelle, échappe à la détermination purement psychologique.

« On ne doit pas voir dans les phénomènes psychiques l'essence de la vie mystique, pas plus qu'on ne peut prétendre que sans eux une expérience mystique soit inimaginable.

« Nous le répétons, la substance de la vie mystique est située au-delà de la ligne psychologique, et il est impossible d'en faire une description complète en se servant d'expressions purement naturelles, ou en se référant uniquement à des états psychologiques.

« L'expérience de Dieu n'a aucun lien nécessaire avec un état d'âme absolument nouveau et jusque-là inconnu.

« La *théologie ‹ de la mystique ›* est une branche particulière de la théologie, qui se propose de démontrer, dans ses fondements, le mode supérieur d'activité de l'intelligence chrétienne, de l'expliquer dans son être propre et même en tant qu'accompagné de manifestations psychologiques particulières.

« La *théologie ‹ mystique ›* est la connaissance surnaturelle elle-même.

« Puisqu'elle parachève le chrétien, la mystique n'aura rien d'extraordinaire ; elle ne sera pas vers la sainteté une voie spéciale que seul un petit nombre d'élus pourront suivre, mais une route ouverte à tous. »
(Dom Anselme STOLZ, *Théologie de la mystique*, 2ᵉ édition, Chevetogne, Éditions des Bénédictins d'Amay, 1947.)

Définitions théologiques ou « expérientielles »

– La vie dans le divin est plus surnaturellement naturelle à l'homme que la vie dans l'humain.

– Je suis homme par nature et Dieu par grâce.

– Un être vient du néant et se voit initié aux conditions de la vie divine.

– Il (Dieu) vient subitement et, sans confusion, il se confond avec moi.

– Dieu habite le centre mais demeure inaccessible.

– À ce niveau il ne s'agit point de s'instruire sur Dieu, mais de le recevoir et de se convertir en lui.

– Tout mouvement cesse, la prière elle-même change de nature.

– L'ÂME PRIE EN DEHORS DE LA PRIÈRE.

– Son repos est au-dessus de toute oraison.

– L'homme avance du fait même qu'il s'est arrêté.

– L'expérience mystique chrétienne doit montrer qu'elle est « connaissance » du mystère de la charité.

– L'homme entre dans le mouvement immobile.

– Dans la vie de foi ordinaire, on cherche Dieu à partir de l'Écriture et des exemples de la vie des saints ; dans la vie mystique, la connaissance surgit comme sans cause, sans préparation et aussi sans parenté (du moins apparente) avec les connaissances antérieures.

– Le mystique sait, d'une manière nouvelle, qui est ce Dieu en qui il croit.

– ON Y EST TOUCHÉ PLUS QUE L'ON NE TOUCHE [3].

– Si parfois la figure du Christ semble s'estomper, ce n'est pas parce qu'il est absent, mais parce que le croyant est plongé dans le mystère du Christ mort et ressuscité et, par là, devient témoin

---

[3] « Ici, le sens du toucher est le premier, alors que dans l'ordre sensible il est le dernier, après l'odorat, le goût, l'ouïe et surtout la vue. »

que la vie chrétienne n'est pas une conquête, mais une conversion; non un épanouissement, mais une renaissance; non une simple croissance, mais une résurrection qui passe par une mort.

– Sur la rive, tu vois le fleuve; si tu es dedans, ce n'est plus qu'un mouvement qui emporte, un infini qui entoure de toutes parts.

– La révélation s'achève quand disparaît ce par quoi elle paraissait.

– Si j'ai besoin de l'Écriture pour me comprendre, je comprends aussi l'Écriture lorsque je la lis en moi-même.

– L'Écriture, l'Esprit Saint l'avait écrite en moi avant que je n'apprenne à la lire.
Il semble que l'expérience précède la lecture.

– En réalité, à travers la vie de l'Église, c'est déjà l'Écriture et le mystère du Christ qui nourrissent la vie du mystique[4].

– L'impossibilité de lire beaucoup et de lire autre chose que l'Écriture est caractéristique de certaines vocations mystiques.

– Il y a discontinuité et rupture marquées d'avec la vie ordinaire, celle du «non-initié».

– Dans cette existence nouvelle, on est envahi par quelque chose ou par quelqu'un qui prend désormais l'initiative de la vie.

– C'est plus que la vérité de Dieu que le mystique connaît, c'est sa bonté.

– L'entrée dans ce monde nouveau se présente d'abord négativement, c'est-à-dire qu'on ne sent pas l'avènement du nouveau; on perçoit seulement le départ de l'ancien et les brisures que cela suscite.

– Le Dieu de la foi est aimé de manière nouvelle, et c'est par cet amour qu'il est désormais surtout connu.

– Il s'agit d'un phénomène qui n'est pas facile à saisir.

---

[4] Notons ici le cas de Camille C., qui semble contredire cette affirmation. (Henri CAFFAREL, *Camille C. ou l'emprise de Dieu*, Éd. du Feu nouveau, 1952.)

Les opinions divergent, car tout mystique est en lui-même un cas.

– L'action de Dieu est perçue non de façon directe ni par voie de réflexion, mais dans son effet.

– La mystique crée un « état » qui donne l'impression de surmonter le temps et de coïncider avec le moment éternel.

– La foi n'est pas d'abord adhésion à un certain nombre de vérités, mais don de soi à Dieu, car Dieu n'est vraiment reconnu que dans l'acte où l'on se livre à lui.

Voilà pourquoi la marche vers la Vérité est solidaire de l'acheminement vers la sainteté.

– Le regard du contemplatif, par une sorte de renversement, part du mystère caché en Dieu pour se fixer sur l'humanité du Christ.

– Peut-être y a-t-il, dans l'histoire de la mystique chrétienne, une démarche analogue à la pédagogie de la foi dans l'Évangile : c'est à Pâques, quand la figure sensible du Christ disparaît, que la lumière reflue sur les événements de sa vie terrestre, y compris les plus ordinaires et les plus cachés.

– La spiritualité chrétienne « incarne » au lieu de désincarner[5].

– L'altérité, de cette façon radicale, ne situe pas subtilement Dieu par rapport à nous-mêmes sous couvert de gratuité et de grâce ; elle nous invite plutôt à nous déprendre de toute prétention et de toute volonté de possession.

– Dieu n'est pas celui qui correspond à notre attente.

Il n'est même pas celui dont nous dépendons.

Il se tient mystérieusement à distance de nous, sans commune mesure avec nous.

– L'union entre l'homme et Dieu, telle que les mystiques l'expérimentent, implique par métonymie l'écart incommensurable entre créateur et créature.

---

[5] À l'encontre de la sagesse grecque, où le corps est une prison. À l'encontre aussi de l'hindouisme, où le sensible est une illusion.

– Cela indique que la relation à Dieu n'est pas à comprendre sur le mode de la relation humaine et de son souci de préserver l'autonomie des partenaires.

– Un écart de langage qui va jusqu'à parler d'identification entre Dieu et l'homme signifie l'écart plus grand encore entre l'expérience commune de l'amour et celle de l'union à Dieu.

– Jésus indique l'impossibilité de penser la relation entre Dieu et l'homme en termes d'altérité abstraite.

– Le mystique chrétien ne prétend pas échapper à la forme christologique de la foi évangélique (chose si fréquente chez ceux qui n'ont pas une foi enracinée et qui vivent l'expérience mystique naturelle).

– La mystique est expérience de la différence entre Dieu et l'homme, telle que cette différence puisse aussi et en même temps être perçue comme in-différence et in-distinction.

– L'expérience mystique vit du désir d'aller au-delà de la différence et au-delà de l'union, telles qu'elles sont trop communément perçues entre Dieu et l'homme.

– Les mystiques témoignent d'un écart par rapport à ce qui est convenu et habituel.

– Dans leur communion avec Dieu, ils sont amenés à confesser que l'altérité paradoxale de Dieu n'est ni ce qu'ils pensaient ni ce qu'on en dit couramment.

Les mystiques vivent le même paradoxe avec autrui, dans l'Église et dans la société.

L'altérité se dépasse elle-même dans la relation à Dieu comme dans la relation à autrui.

– L'altérité renouvelle le regard sur autrui et sur son visage, où la nouveauté mystérieuse de Dieu se communique sans se laisser posséder[6].

---

[6] Ce qui est tout notre désir. Ceux qui s'intéressent à ce qui s'est écrit sur la mystique avant d'en avoir fait eux-mêmes l'expérience la perçoivent facilement comme une dimension où le «sensible» trouve son compte en s'y voyant noyé. Mais, tout au contraire, cet état exige la mort du sensible. Les émotions vives qui y sont habituellement décrites avec les termes de l'amour passion sont d'un autre ordre. Et l'intensité de la lumière dont il y

– Quand le langage commun devient conformiste, la mystique le rend à son acuité et à sa fidélité.

– La mystique exprime à sa manière propre le commun de l'expérience chrétienne.

– Il se pourrait bien que les procès faits parfois aux mystiques pour manque de solidarité et de conformité ecclésiale trahissent un manque de réflexion sur les fruits et la grâce du baptême.

– Si la conscience de la consécration baptismale était plus vive chez les chrétiens, peut-être la place réservée à la mystique serait-elle plus évidente.

– La différence entre la mystique chrétienne et les mystiques non-chrétiennes, c'est la foi vive en Jésus Christ, la foi vécue de l'Église, et non une comparaison des expériences ou des discours qui les formalise et les rejette dans l'intemporalité.

– Certains ont parlé d'une expérience située au-delà de la foi.
On peut affirmer une telle chose dans la mesure où l'on n'a qu'une connaissance superficielle de la foi.
C'est là l'illustration d'une méconnaissance de ce qu'est véritablement la foi[7].
Le Christ a dit : « Père », et avec quel accent !
La foi est une vie et elle ne peut être véritablement comprise que dans la mesure où elle est vécue dans toute sa profondeur et surtout dans toute son incomparable limpidité.

– Une telle douceur !
Plus de culpabilité malsaine.

– Je roule dans mes pétales !

– Mon rêve est devenu plus réel que toutes mes expériences.

---

est parlé n'est pas destinée à nourrir et à satisfaire l'intelligence. Bien loin de susciter le bouillonnement des émotions, la véritable expérience « spirituelle » assoit tout l'être dans le dépouillement, le silence et l'absence. C'est précisément l'éducation à cette austérité qui rend si pénible l'accession à cette vie où le cœur découvre sa loi.

[7] Une « Personne » (Jésus Christ) est trop limitée aux yeux de celui qui n'est pas éclairé par la lumière de la foi. L'Atman est plus digne de l'Absolu.

Il n'y a qu'à « subir »

Cet horizon a quelque chose de si nouveau, de si personnel et de si unique qu'on le vit comme si *rien ni personne* n'avait existé avant nous.

C'est comme si la personne avait à créer de toutes pièces la réalité qui s'amène.

C'est ce qui explique la mort qu'elle doit traverser.

Cette expérience la sort littéralement de ses sentiers.

Notre cœur ne soupçonne pas l'envergure de ses exigences.

Nous avons foi en nos espaces géographiques, mais nous sommes sceptiques face à nos latitudes intérieures.

Il nous faut avoir connu le malaise salutaire du vide existentiel pour être en mesure de nous ouvrir à l'impossible message.

Il nous faut avoir été soumis à la morsure de ce mal que connaissent *les affamés de la lumière.*

Il nous faut percer notre chemin là où il n'y a ni indication ni orientation.

Perdus au cœur d'une immense forêt, il nous faut avancer sans aucun point de repère.

En fait, nous n'inventons rien, nous ne créons rien : nous n'avons qu'à subir !

Un long apprivoisement

L'âme est comme saisie par une force étrangère qui prend la direction de sa vie sans qu'elle puisse savoir si cette force est positive ou négative.

Il lui faudra un long apprivoisement pour s'habituer aux déroutantes initiatives de cette puissance, avant de pouvoir s'abandonner comme un enfant qu'un adulte projette dans les airs : risque qui devient le meilleur de la joie.

Au début, c'est souvent l'aspect négatif et menaçant qui s'impose.

Il arrive assez curieusement que la personne vive « le grand dérangement » sans pouvoir mesurer toute l'intensité de son malaise intérieur [8].

Et même quand l'agir positif de cette force est reconnu, la personne ne comprend pas ce positif qu'elle n'a jamais expérimenté.

Trois étapes successives

Au printemps, dans l'extrême nord, après des mois d'obscurité totale, le soleil réapparaît, de façon bien fugitive d'abord, quelques secondes à peine.

Et l'interminable nuit recommence.

C'est ainsi que le « marcheur de nuit » est surpris par l'apparition subite et passagère d'une clarté nouvelle.

Et voilà que l'âme se retrouve à nouveau au milieu de sa nuit, celle du « jour » de tout le monde.

Ces visites de la lumière se font à intervalles de plus en plus rapprochés et viennent avec une intensité de plus en plus grande.

Puis succède la deuxième étape où, dans un acte volontaire, l'âme réussit à aller chercher son « soleil intérieur ».

Il suffit d'un moment de recueillement pour rejoindre en soi la source lumineuse qu'on sait être là à demeure.

---

[8] Un alcoolique vivra durant des années avec sa souffrance. Une fois délivré, il se demandera comment il a pu endurer aussi longtemps un tel enfer. Si, après sa délivrance et la liberté nouvelle expérimentée, on allait lui demander de reprendre son mode de vie antérieur, il n'en aurait plus la force, tellement cet état lui apparaît comme épouvantable. Il a pu persévérer dans cette nuit dans la mesure où il lui était impossible de comparer son état avec une autre manière de vivre. C'est en s'éveillant à autre chose, à quelque chose de meilleur, qu'il peut mesurer le caractère inacceptable de son passé. Il en est de même dans notre évolution spirituelle. Notre ignorance nous protège ainsi contre l'intensité d'une lumière qui pourrait nous être fatale.

Enfin, arrive l'heure du soleil de minuit, où la lumière persiste jusqu'au cœur de la nuit.

À ce moment, la personne n'est pas continuellement consciente de baigner dans la lumière, mais par un simple retour en arrière elle constate qu'elle n'aurait pas agi comme elle vient de le faire si elle n'avait pas effectivement bénéficié de la présence de sa lumière.

On pense ici au tout jeune enfant qui, le dos tourné à sa mère, est totalement absorbé dans son jeu.

Il peut se permettre d'oublier la proximité de sa mère dans la stricte mesure où il a la certitude de sa présence rassurante et de son amour indéfectible.

Dans l'ordre spirituel tout autant que dans l'ordre sensible, plus une réalité devient évidente et partie prenante de la vie, moins elle s'impose à l'attention de celui qui en bénéficie.

L'intelligence est à la remorque d'une autre lumière

Pour bien nous comprendre et pour éviter de nous montrer irrespectueux envers le sublime et le sacré, le mieux serait d'écrire une longue poésie qui risquerait de demeurer hermétique à ceux qui, n'ayant pas vécu la bouleversante expérience, sont tout de même en quête d'un « plus être ».

Notons que le seul fait pour quelqu'un de désirer avoir part à la lumière est un signe que déjà l'éveil a commencé à se faire en lui.

Il serait alors plus juste de dire qu'il n'a pas encore compris qu'il en vit.

On persiste à vouloir comprendre avec l'effort de l'intelligence mais, ici, on ne peut saisir qu'avec l'« expérience » de la chose.

« Pour vivre, il faut avoir vécu. »

La grande inconnue

La prose a l'avantage d'être plus précise que la poésie mais, en fait, elle jette un voile sur l'essentiel, car elle parle à l'intelligence alors que le message dont il est ici question s'adresse à l'«être».

L'intelligence exigera toujours de tout ramener à ses dimensions et à ses procédés logiques, mais un jour elle est expulsée de l'arène par une force nouvelle.

À l'heure du grand tournant, elle se voit remerciée de ses services : elle n'ouvre plus la voie, elle est à la remorque d'une autre lumière.

«Je te bénis, Père, d'avoir caché cela aux sages et aux intelligents et de l'avoir révélé aux tout-petits» (Lc 10,21).

«L'intelligence des intelligents, je la rejetterai» (1 Co 1,19).

Langage choquant, et qui choque effectivement, mais on n'y peut rien.

Il faut apprendre à faire silence, non pour entendre, mais pour percevoir de quelle manière nouvelle on est nourri par le dedans.

L'âme connaît par le fond ; elle est informée par son propre mystère, elle est comme l'argile du potier : elle est jetée dans un moule et, pour connaître ce qui va advenir d'elle, elle ne peut qu'observer la forme de ce moule où elle est enfouie.

C'est de la même manière qu'une personne se met à l'écoute des zones obscures de son être.

Mais cette immensité demeurera toujours la grande inconnue.

C'est seulement à travers son agir et ses réactions devant les événements et les personnes qu'elle pourra «deviner» la richesse et la beauté de son intérieur.

Ni passé ni futur

Il s'agit de nous familiariser avec le miracle de notre «devenir», c'est-à-dire de voir surgir un effet sans cause apparente qui pourrait expliquer son avènement.

Il n'y a que l'expérience d'un tel phénomène qui puisse nous y accoutumer.

La théorie ne fait pas avancer les choses: elle pourra tout au plus aider à reconnaître le «jour» après qu'il se sera levé.

Alors le «passé» n'est pas «dépassé» mais actualisé.

Renversante nouvelle: nous n'avons plus besoin de la mémoire pour faire retour en arrière.

Quant au futur, il est comme ramené dans le présent [9].

Logique ou expérience?

Il est bien difficile d'unir deux modes de vie quand l'avènement de l'un exige la rupture d'avec l'autre.

Il y a en nous un réseau ignoré de lois avec lesquelles nous avons vécu depuis toujours, à la manière des hommes qui ont pu exister longtemps avant de savoir que les ondes hertziennes les traversaient et qu'elles étaient porteuses pour eux d'une infinité de messages.

Ici cependant, à l'encontre de ce qui a lieu pour les ondes de radio, les lois de toujours, auxquelles nous nous voyons maintenant initiés, viennent en contradiction avec notre manière spontanée de voir et de vivre.

Comment ne pas nous sentir déstabilisés quand, par exemple, Angelus Silesius affirme ceci: «Si je deviens néant, il faut que Dieu rende l'âme.»

Quelle peut bien être la nature de l'étrange lumière qui conduit à formuler une telle affirmation?

---

[9] C'est ainsi que Thérèse de Lisieux se demandait ce qu'elle pourrait bien avoir de plus dans l'éternité, elle qui déjà avait conscience «d'être avec le Bon Dieu», ce qui est l'essence de l'éternelle béatitude.

Les mystiques orthodoxes parlent d'expérience et de communion, constate Marie-Louise Gondal.

Elle ajoute que leur traduction en un système logique est impossible et que leurs paroles n'ont pas de place dans une théologie systématique : l'accord des opposés n'est pas dans l'ordre de la logique, il relève de l'expérience de Sagesse [10].

Par une porte qui ferme l'entrée

On s'étonne de l'audace d'Angelus Silesius, mais que dire des paroles du Christ ?

« C'est votre intérêt que je parte » (Jn 16,7).

Comment concevoir que la présence puisse être une entrave à la communion ?

Et comment entrer dans le salut par la porte qui semble nous en éconduire, celle de la vive conscience du caractère insolvable de notre endettement ? (*cf.* Rm 5,6-10)

Comment cesser de vouloir racheter nos mauvais côtés par des actes bons pour nous mériter la faveur de Dieu ? (*cf.* Lc 15, 29-30.)

Dans la nouvelle lumière, tous les réflexes de jadis, on le comprend maintenant, équivalaient à refuser à Dieu ce qui constitue la substance même de son être : l'amour gratuit.

Miracle inespéré

Cependant, l'intelligence s'obstine à vouloir comprendre et elle souffre de ne pouvoir y arriver.

À la fin, elle acceptera de ne pas comprendre et d'être « touchée » seulement.

Bien paradoxalement, elle découvrira alors que c'est là, pour elle, la manière la plus gratifiante de vivre en même temps qu'un chemin riche d'une surprenante fécondité.

---

[10] « Justice et paix s'embrassent » (Ps 85,11).

Elle avait toujours cherché des «certitudes», autant dans l'ordre pratique que dans l'ordre de la foi.

Et voilà qu'elle se sent bien, même quand elle ne peut prouver aux autres ou à elle-même son expérience intime, pas plus d'ailleurs qu'elle ne peut prouver l'existence de Dieu.

Elle ressent un inqualifiable bonheur à faire confiance, ce qui équivaut pour elle à provoquer l'infini à être bon, à le construire et à l'enfanter d'une certaine manière.

Elle consent maintenant à vivre sans preuve en même temps qu'elle ne peut mettre en doute l'authenticité et la richesse de son expérience: miracle inespéré!

En deçà du seuil

Tout au long de l'histoire, un nombre incalculable de témoins sont là pour attester qu'au-delà des chemins de la seule raison – et sans être en contradiction avec elle – il existe, pour les humains que nous sommes, des possibilités d'accomplissement qui peuvent donner à notre figure les traits d'une vérité si belle et si totale que nul ne sera tenté de la remettre en question.

Depuis les temps les plus reculés[11], des légions d'«éveillés» se sont levées pour attester qu'il y avait, caché quelque part dans nos profondeurs, un réseau de routes nous permettant de déboucher dans des espaces infiniment comblants.

Ils ont traduit leur expérience dans des gestes et dans des paroles de feu, nous laissant clairement entendre à quel point la race des hommes vit en deçà du seuil de ses possibilités.

Mais le cœur des distraits demeure insensible à cette qualité de message.

---

[11] «Alors que s'aigrissait mon cœur et que j'avais les reins percés, moi, stupide, je ne comprenais pas, j'étais une brute auprès de toi. Tu m'as saisi par ma main droite; derrière ta gloire tu m'attireras» (Ps 73,21-24).
«La Sagesse se laisse trouver par ceux qui la cherchent. Qui se lève tôt pour la chercher n'aura pas à peiner: il la trouvera assise à sa porte» (Sg 6,12.14).

On fait la sourde oreille à pareille interpellation, comme si cette constante ne concernait qu'une catégorie de privilégiés.

Un impossible bonheur

À cette anomalie, il y a une explication :

Pressentant confusément que ce qui nous habite est plus grand que nous, c'est comme si nous avions l'intuition qu'en cédant aux interpellations du cœur nous risquons de perdre la gouverne de notre vie.

En effet, un étrange capital se cache dans nos espaces ignorés, là où notre volonté et notre intelligence n'ont aucune possibilité d'intervention.

Et parce qu'il a un mal extrême à prêter de bonnes intentions à l'inconnu, notre cœur préfère demeurer dans l'indigence et l'insatisfaction de ses parcours, plutôt que de faire confiance à une voix mystérieuse qui lui promet un « impossible bonheur ».

Nous avons appris à nous méfier des autres ; par voie de conséquence, nous en sommes venus à nous méfier de notre propre cœur, ce qui est le plus irrecevable de tous les reniements.

Un préalable trop souvent oublié

Il nous faut un miracle de générosité pour être en mesure d'accepter la totale gratuité.

C'est dire à quel point nous sommes loin de pouvoir susciter l'avènement de cette réalité si nécessaire, quand elle est absente de nos chemins.

Seuls en sont capables ceux qui « débordent » après avoir été noyés au sein des eaux vives.

Le Christ, quant à lui, ira jusqu'à provoquer la foi en lui, afin de pouvoir guérir ceux qu'il approche.

C'est là un « préalable » que nous oublions trop facilement.

Avec un cœur en lambeaux

Comment expliquer que l'homme, si avide de connaître les espaces interdits, si intéressé à percer les mystères qui l'entourent, demeure comme indifférent en face d'une question aussi capitale que celle de son propre accomplissement ?

La chose demeure inexplicable.

Il nous suffit d'observer avec quelle fièvre l'homme s'adonne à la recherche dans ses laboratoires pour constater qu'il est manifestement plus intéressé à découvrir les lois qui régissent l'univers que celles qui président à son propre cœur.

Il rêve de maîtriser le monde, quitte à ce que son cœur demeure en lambeaux !

Il remue ciel et terre ; il travaille dans les entrailles de la terre, il sonde le fond des océans, et tout ce labeur immense est consenti, c'est clair, pour l'avancement de la science et pour un plus grand bien-être de l'humanité, mais, aussi incompréhensible que cela puisse paraître, le monde de la science demeure étranger au bonheur de vivre.

mystère du bonheur.

Comme si un bonheur d'une qualité supérieure ne l'intéressait pas : l'hameçon est trop loin pour qu'il puisse attirer son attention.

La science demeure non seulement indifférente au bonheur existentiel, mais elle en interdit très souvent les chemins, obsédée qu'elle est par l'obtention de ses objectifs immédiats.

À partir d'un capital infime

Ce « bipède » qu'est l'homme est apparemment satisfait d'un bonheur moyen qui le laisse végéter en paix dans la médiocrité.

Il semble « anormal » pour lui d'atteindre à une expérience pleine et durable.

En fait, l'ouverture ici ne tient pas d'abord à la force de la volonté ou à la pénétration de l'intelligence.

C'est un des domaines privilégiés où une réussite spectaculaire peut naître à partir d'un capital infime.

La science bloque les routes du bonheur, de la même manière que la richesse ferme la porte du Royaume[12].

Mais la science est plus dangereusement subtile que la richesse en ceci qu'elle cache son jeu de fuite derrière des motifs on ne peut plus louables : un meilleur être pour l'humanité et l'apport de nouvelles lumières.

Si nous poussons plus loin notre investigation, il nous faudra admettre qu'un résultat gratuit est moins « séduisant » qu'une conquête réussie à coups d'effort et d'énergie.

En somme, le but inavoué de cette sorte de zèle mal éclairé est que l'affirmation de soi est préférable à tous les résultats poursuivis.

Bien souvent, on va tirer plus de satisfaction d'un résultat moindre qui donne du lustre à la personne du chercheur que d'une découverte importante qui laisserait ce dernier dans l'ombre.

L'immédiat en avance sur le durable

La fleur tend vers sa beauté, mais l'homme agit comme si, étant lui-même « fleur fanée », il n'aspirait qu'à faire éclore des plantes nouvelles autour de lui, pendant que ses racines se dessèchent.

Il se « tue » à la tâche de « tuer » le meilleur de lui-même.

Ainsi donc, ce qui importe à l'homme, ce n'est pas d'abord l'accomplissement de ce qui est son plus profond désir, mais le besoin de se prouver à lui-même et aux autres qu'il est capable de réaliser de grandes choses.

C'est comme s'il avait un tragique besoin de valorisation[13].

---

[12] Non la richesse en elle-même, mais la « cupidité », l'« attachement » aux biens d'ordre secondaire.

[13] Comme s'il flairait continuellement le tragique de son néant qui le suit à la piste.

Et cela, il le réalise en performant dans des secteurs qui demeureront toujours secondaires et insatisfaisants, mais fourniront des résultats pouvant être avantageusement comptabilisés et reconnus.

Il est inutile de s'attarder à démontrer l'inconséquence d'un tel comportement, mais le piège exerce sur chacun de nous une emprise qui peut difficilement lâcher.

Il est d'heureuses exceptions mais, dans l'ensemble, l'homme a fait la preuve qu'il a toujours agi de la sorte : *pour lui, l'immédiat et le superficiel ont une longueur d'avance sur le durable et le profond.*

Une traînée d'amertume

Cependant, ces résultats tronqués ont la « grâce » de laisser derrière eux comme une traînée d'amertume.

La satisfaction qu'ils peuvent engendrer n'atteint pas le fond de l'être, on le soupçonne bien, mais – sanction ou vengeance de l'essentiel qui a été laissé pour compte – ce malaise, on le fuit en se lançant sur de nouvelles pistes de conquête.

Tout et tout de suite

L'Écriture insiste sur ce qu'elle appelle le « petit reste ».

La vie invite la multitude à accepter le long terme en échange de l'immédiat : il faudra cesser d'agir comme l'enfant gâté qui veut tout et tout de suite.

Mais, comme dit le proverbe : « Un ‹ tiens › vaut incontestablement mieux que deux ‹ tu l'auras ›. »

La multitude des mystiques ignorés

Une seule chose peut encore sauver l'homme de lui-même : la souffrance qui lui vient de son mensonge, de l'irrespect qu'il manifeste envers lui-même.

C'est de cette façon que le Prodigue, la prostituée et tous les autres sauvés de l'Évangile ont été guéris.

Ce désir de l'essentiel qui travaille le cœur peut aller jusqu'à conduire l'intéressé sur des chemins de marginalité.

L'attitude du Christ face aux êtres perdus et rejetés qu'il a rencontrés nous laisse soupçonner que son regard pouvait atteindre jusqu'à la vérité profonde qui se cache souvent sous des dehors tourmentés, voire scandalisants.

C'est à cette profondeur qu'il nous faut descendre, nous aussi, pour faire enfin justice à tous ces êtres qu'on pourrait appeler des « mystiques égarés ».

Une multitude de baptisés peuvent gémir toute leur vie durant parce qu'ils sont privés de cet état enviable qu'est l'expérience mystique, alors que, bien souvent, ils n'ont rien à envier à ceux et celles qui en ont bénéficié d'une « manière » plus perceptible qu'eux.

Nous nous sommes habitués à minimiser Dieu en l'enfermant dans nos espaces humains.

Le spectaculaire ou la simplicité

Toutes ces victimes d'une présentation trop restrictive de l'action transformante de l'Esprit Saint auraient profit à être confirmées dans la voie qui est la leur, plutôt que de voir miroiter devant elles des aspects secondaires de la rencontre avec Dieu.

Le bon air du printemps pourrait remplir les poumons d'un nombre incalculable d'enfants de Dieu si on pouvait les ouvrir à une vérité infiniment comblante : leur chemin est rempli d'une lumière dont la limpidité peut avantageusement rivaliser avec celle qui informe l'existence de ceux qui sont proposés comme modèles.

Le Christ a pourtant bien demandé qu'on laissât les petits enfants venir à lui, parce que le Royaume était promis à ceux qui leur ressemblaient.

Mais il nous demeure bien difficile de délaisser nos points de repère pour leur préférer un chemin de dépouillement et de simplicité, comme nous y invite l'Évangile.

Mysticisme simplifié

Il ne nous est pas naturel de percevoir la simplicité d'une vie chrétienne comme l'ambiance privilégiée d'un authentique mysticisme [14].

Je voudrais illustrer tout ce qui précède par un exemple lumineux.

Dans une école primaire, au sortir de la classe, deux fillettes de sept ans s'éloignent régulièrement du groupe des enfants.

Pendant que les autres s'attroupent pour mieux s'amuser, nos deux gamines s'éclipsent «discrètement» pour s'infiltrer dans la pénombre de l'église paroissiale.

Assises sur le premier banc qui fait face à la réserve eucharistique, elles demeurent là, silencieuses, de longues minutes, au cours desquelles, ne sachant trop comment occuper leur temps, elles balancent leurs jambes dans le vide.

L'opération se répète chaque soir, avant de rentrer à la maison.

Les parents n'ont pas influencé les enfants : ils sont les premiers à ignorer la chose.

Elles sont « bien », et elles ne savent absolument pas pourquoi.

D'ailleurs, elles ne se posent aucune question sur leur insolite comportement.

Elles obéissent simplement à un attrait.

L'expérience mystique vécue par ces deux enfants est éclairante au premier point.

---

[14] Il est remarquable de constater qu'au terme de l'itinéraire spirituel les mystiques deviennent les plus simples des humains. Leur vie d'union à Dieu elle-même se fait souvent imperceptible aux sens et à la conscience. C'est que la limpidité de leur foi et leur détachement n'exigent plus rien. Ils ne sont plus que pure acceptation dans le silence.

En contradiction apparente avec l'Évangile

Mais nous ne sommes pas au bout de nos peines pour autant !

Une personne viendra nous dire que, précisément, cette simplicité et ce bien-être sont absents de sa vie ; que l'aridité et même le dégoût accompagnent ordinairement sa prière, et que l'attrait pour les biens du monde, loin de diminuer, se fait de plus en plus fort chez elle.

À cette objection, il faudrait pouvoir répondre que tout cela n'est absolument pas une contre-indication à l'expérience mystique.

Il faudrait aller jusqu'à dire que la conduite erronée, comme celle de la prostituée de l'Évangile avant sa rencontre avec le Christ, n'est pas non plus le signe d'une absence de l'expérience de Dieu.

Un comportement marginal et excessif est d'abord et avant tout le signe d'un être tourmenté par le besoin de vivre, ou le fait d'une personne blessée par son éducation ou par une autre cause.

Ici, on se récriera : « Voilà que tout péché disparaît avec une pareille théorie !

Cette approche n'est donc pas en conformité avec l'Évangile qui, lui, nous parle abondamment de péché. »

Discernement fondamental

Aux yeux du Christ, les simples observateurs de la loi étaient manifestement plus éloignés du Royaume que bien des perdus qui, dans leur « voracité » de vivre, pouvaient en être venus à franchir tous les interdits, mais qui, dans l'excès de la souffrance engendrée par leur inconduite, avaient fini par tomber dans les bras de la miséricorde.

Cette catégorie de « pécheurs » est bien différente d'un être comme, par exemple, Hérode, à qui Jésus n'a même pas daigné répondre.

Il y a donc délinquance et délinquance, et il est souverainement important de bien distinguer l'une de l'autre.

C'est là ce qu'on pourrait appeler le discernement « fondamental ».

Un indéfinissable malaise

Le désir d'une rencontre plus poussée avec Dieu et la souffrance de ne pouvoir accéder à plus de lumière sont les éléments les moins susceptibles de nous tromper quand il y va d'un éclairage sur l'authenticité d'un cheminement.

Le désir spirituel, pour souffrant qu'il soit, doit donc être perçu non comme un état de pauvreté, non comme le signe d'une absence de l'essentiel, mais comme l'acte même de l'expérience que l'on dit rechercher.

Ce qu'on désigne habituellement sous l'expression « expérience de Dieu » aurait tellement avantage à se voir reconnu dans ce malaise indéfinissable qui habite le fond de l'être.

Tourment sans fin

À noter que le jeune homme riche et le Pharisien debout dans le Temple n'ont pas été « convertis » : l'impression de vide insupportable, que devait normalement engendrer ce qu'ils avaient pu « réaliser », ou ce qu'ils avaient pu accumuler ou posséder, ne les avait pas atteints.

Ils étaient dans l'impossibilité de distinguer entre la fausse et l'authentique monnaie [15].

La souffrance du vide existentiel n'est pas seulement éducatrice du cœur de l'homme, elle est l'indiscutable révélation du fait que le chercheur est déjà éveillé à la présence du bien suprême et demeure sous son emprise.

---

[15] « Qui offrirait toutes les richesses de sa maison pour acheter l'amour ne recueillerait que mépris » (Ct 8,7).

Nous refuser à cette vérité serait mettre en veilleuse la fécondité du mystère de la Croix.

«Folie» ou «scandale», peu importe, ce mystère est là, et à demeure!

La chance de l'homme est d'être tourmenté sans relâche par le «désir inaccompli»[16].

Et ce tourment a ceci de bien particulier que nous n'en verrons jamais la fin.

Il n'a pas mission de mourir pour céder la place à la plénitude de la présence, mais de devenir la plus pure de toutes les joies, ce qui se produit quand le baptisé comprend que c'est l'«approche» de l'«inaccessible réalité» qui l'introduit dans un tel feu de vie[17].

La seule issue que nous permette la vie est d'arriver à tirer un si grand bonheur de notre soif inassouvie que nous désirions la voir durer toujours.

En nous, ce tourment devient le sceau immuable de notre être situé au cœur de la lumière et de la vérité.

C'est là l'univers paradoxal des béatitudes.

---

[16] «Notre désir est sans remède» (Thérèse d'Avila).
Pour ce qui est de la souffrance de se voir séparé d'un bien si convoité, il nous faut être attentifs au fait que ce n'est pas le désir spirituel qui engendre le malaise. Le désir spirituel est une béatitude. Le malaise ne vient donc pas de la privation de Dieu ou des splendeurs du Royaume, mais uniquement de la sensibilité qui veut avoir part à ce que le fond de l'âme possède déjà. Jamais il ne sera répondu à la soif du sensible. Le sensible ne peut appréhender le spirituel. Sous l'action de la lumière envahissante, les sens finiront par taire leurs exigences en reconnaissant leur inaptitude à goûter les choses spirituelles. À ce moment, ils laisseront l'âme savourer paisiblement son fruit éternel de béatitude. Ils vont apprendre à demeurer dans la seule sphère d'activité qui leur a été dévolue. Il arrivera parfois que la partie sensible s'éveillera, violemment même, quand la partie spirituelle sera visitée par une joie de grande intensité, mais, au sommet de l'expérience spirituelle, les sens ne viendront plus s'interposer pour perturber la limpidité de la lumière intérieure.

[17] «L'absolu de la présence est dans l'infini de l'absence», disait si magnifiquement Kierkegaard.

Quand la consolation est promise à ceux qui pleurent, on peut toujours la comprendre selon la lettre, à l'intérieur de nos seules approches humaines, mais le chant des béatitudes va infiniment plus loin que tout ce que peuvent contenir nos rêves de bonheur, et plus loin aussi que toutes les couleurs dessinées par notre imagination quand nous pensons aux joies du Royaume.

Ainsi donc, avant de songer à éclairer l'homme sur les véritables défis qui sont en jeu, il importe de nous en remettre à la vigilance de cette souffrance qui ne manque pas d'atteindre celui qui, le moindrement éveillé, oserait encore se permettre de mordre dans le mensonge [18].

À ce moment, le cœur est engagé dans la vérité avec suffisamment de profondeur pour ne pouvoir plus trahir ses choix essentiels : il est à tout jamais immunisé contre la médiocrité.

En gestation de l'essentiel

La première question à poser est donc celle-ci : « As-tu suffisamment souffert de ton mensonge ?

Ton aptitude à souffrir du manque de l'essentiel est-elle assez vivante en toi pour t'obliger à prendre le chemin de la liberté ? »

La plus haute activité de l'homme consiste à observer la transformation qui s'accomplit en ses racines sous l'action d'une force qui ne relève absolument pas de lui.

La perception douloureuse de ce qui lui manque est la manifestation la moins équivoque du fait que son être est en gestation de l'essentiel.

Il s'agite en vain dans les conquêtes aussi longtemps que cette vérité n'est pas devenue pour lui une évidence [19].

---

[18] « Tu saupoudrais d'amertume toutes mes joies illicites » (saint Augustin).

[19] Notre cœur est comparable à un orgue à deux claviers.
On mise presque exclusivement sur le premier, qui est celui de l'ordre du pratique, du compétitif et du performant.
Le second est comme situé au-delà de l'espace, en dehors du temps.

Porteurs d'un mystère qui nous dépasse

Ces distinctions étant faites, nous pouvons maintenant aborder plus directement l'expérience mystique.

Pour paraphraser une affirmation d'André Malraux, il faudrait oser dire : « L'homme est mystique ou il n'est pas », mystique en ce sens qu'il est sensible aux appels d'un « plus » qui le remue dans sa dimension de mystère.

L'important est de percevoir l'homme non pas d'abord comme celui qui doit « comprendre », mais comme celui qui est porteur d'un mystère qui le dépasse de toutes manières.

Insaisissable accomplissement

Toute personne attend qu'on la révèle à elle-même comme porteuse d'infini.

Mais, en ce domaine, nul ne s'improvise prophète.

On ne se prépare pas à une pareille mission en étudiant ni en « creusant » ses espaces intérieurs, mais en devenant une « victime » bienheureuse, de plus en plus éveillée à un travail de transformation qui s'opère dans les zones inaccessibles de l'être, même si cette croissance exige parfois d'arracher douloureusement la personne à une sorte de mensonge dont elle n'avait pas été consciente jusque-là.

De ce travail, nous ne percevons que des effets partiels et fugitifs.

Nous ne pouvons absolument pas cerner les contours de ce qui nous informe à la source cachée de notre être.

La crise qui signale la croissance

La crise de l'adolescent nous fournit une très fidèle image de cette évolution spirituelle.

Sans avertissement, l'enfant voit toute sa vie bouleversée par l'irruption de nouvelles lois qui, du dedans, s'imposent à son agir.

C'est peu à peu seulement que la maturité grandissante l'introduira dans un mode supérieur d'être et d'agir, celui de l'adulte.

Mais dans le cas du jeune qui devient adulte, comme dans celui de l'adulte qui s'éveille à la densité de son capital intérieur, la volonté et l'intelligence n'y sont pour rien : elles peuvent tout au plus tenter de comprendre ce qui se passe.

De même, dans le registre de la vie, l'évolution n'est pas déclenchée par un phénomène extérieur, ni même « aidée » par la compréhension de ce qui se passe.

Une meilleure intelligence du bouleversement qui s'opère peut seulement nous éviter de gaspiller nos énergies à combattre maladroitement une croissance dont rien ne peut entraver le cours [20].

Chemins contradictoires

Le Prodigue, en claquant la porte de la maison, avait pris un bien mauvais chemin pour aboutir à la rencontre qui devait se produire.

Bien plus, la vie a surgi pour lui à la mesure des obstacles que lui-même a accumulés contre l'avènement de cette dernière.

Ce qui manifeste que l'important dans notre croissance spirituelle est moins la certitude d'avoir choisi le meilleur chemin que de nous sentir en enfer dès que nous foulons une terre qui n'est pas la nôtre.

Et si l'enfer ne surgit pas au bout de nos illusions et de nos mensonges, c'est que nos racines sont endormies à jamais.

---

[20] Un autre exemple est celui de la femme qui met un enfant au monde. Elle peut se donner bien du mal si elle ignore ce qui lui arrive et ne coopère pas avec les forces de la vie.

Devancés par nos racines de vérité

L'intelligence et la lumière auxquelles nous accordons tant d'importance peuvent donc tout au plus nous épargner d'inutiles combats.

Ces deux facultés ne peuvent pas accélérer le processus d'évolution.

Comprendre parfaitement cette vérité apporterait déjà un immense soulagement à la personne qui est aux prises avec la vie, cette vie qui, remarquons-le bien, n'a pu entrer chez elle qu'après avoir reçu l'autorisation «inconsciente» de l'intéressée.

Ce qui veut dire que nos racines nous devancent toujours quand il s'agit de nos choix essentiels.

Conquérir ou reconnaître ?

Il importe au premier chef de devenir conscients que nous sommes mystiques en tout, mais, là encore, nous n'y pouvons rien.

Ce n'est pas nous qui nous éveillons au mysticisme : c'est le mysticisme qui nous éveille à lui.

La dimension mystique n'est pas quelque chose à cultiver ou à promouvoir, comme s'il suffisait d'éveiller un être à son noyau intérieur pour qu'il y entre et en vive.

Nous serions plus près de la vérité en disant que l'expérience de Dieu est moins quelque chose à «acquérir» qu'à «constater», qu'à reconnaître.

L'essentiel et l'accessoire

Une chose est certaine : un nombre incalculable de croyants sincères, de croyants qui ont une grande densité de vie chrétienne, éprouvent un malaise à se faire dire qu'il serait normal pour eux d'être des mystiques, puisque tous les baptisés sont appelés à devenir tels.

Parler ainsi, c'est risquer de les engager sur une voie différente de celle où l'Esprit a choisi de les conduire.

Il serait plus avantageux de les éveiller à l'éminence du chemin qui est le leur, plutôt que de les pousser ailleurs en les invitant à avancer d'une autre manière.

Il serait si simple d'élargir notre conception de la « mystique » de façon à ce qu'ils puissent s'y reconnaître.

Bien sûr, on insistera pour dire que les manifestations extérieures et sensibles ne sont pas l'essentiel de la vie chrétienne ni même de la vie mystique, mais il suffit de lire la vie des saints pour constater l'importance accordée aux manifestations qui, dans leur vie, sortent de l'ordinaire [21].

---

[21]
Charismes et grâce

Par exemple, qu'on pense à une vie comme celle du curé d'Ars. Le lecteur moyen ne peut s'empêcher de conclure que, si sa vie surnaturelle était plus intense, il lui serait peut-être possible d'avoir part aux mêmes charismes. Par contre, une existence comme celle de la Vierge à Nazareth ne prête flanc à aucune équivoque. La vie des premiers martyrs à Rome ou à Carthage a aussi cette couleur typiquement chrétienne des gens simples qui aiment le Christ. L'itinéraire de Thérèse de Lisieux s'inscrit dans cette lignée de témoins, encore qu'on accorde toujours une part exagérée à ses capacités naturelles d'intelligence, d'éveil précoce, de volonté ferme, etc.

À titre d'exemple

Devant une admiratrice inconditionnelle d'Élisabeth de la Trinité, je simulais une sorte d'indignation devant le danger qu'il y avait à admirer en cette dernière ce qui n'était pas nécessairement l'essentiel de sa grandeur. Je fus brusquement arrêté dans mon « contre-plaidoyer » : « Vous, ne touchez pas à mon Élisabeth ! » Ce à quoi je rétorquai : « Mais c'est elle qui me fait un devoir de remettre les choses à leur juste place ! Je ne conteste pas l'éminente qualité de son expérience, mais je veux mettre en relief ce qui est essentiel dans sa vie de baptisée. En quoi est-elle grande devant Dieu ? On admire la vivacité de son intelligence, sa facilité à établir des relations chaleureuses avec ses proches : elle aime tout le monde et tout le monde l'admire. Il n'est pas jusqu'à ses succès au conservatoire qui veulent s'infiltrer dans les ‹ minutes du procès ›. Il est à se demander ce qui resterait aujourd'hui de la ‹ petite Catez › si elle était née de parents alcooliques et avait personnellement souffert du même mal durant des années. Que serait-elle devenue si elle avait été victime d'inceste pendant de longues années avant de pouvoir se rendre compte de ce qui lui arrivait, comme c'est souvent le cas pour tant d'enfants ? Et la petite fille si aimable, quelle sorte de relations aurait-elle vécues avec ses proches si elle était née sans avoir été désirée et si elle avait dû subir le sort de tous les enfants rejetés ? »

La limpidité qui fascine le cœur de Dieu

Depuis Thérèse d'Avila et Jean de la Croix, on a mis l'accent sur l'aspect psychologique du phénomène mystique, ceci à l'encontre des Pères de l'Église.

On a mis en veilleuse la possibilité d'une expérience mystique qui serait si simple, si dépouillée, que le bénéficiaire de cette grâce pourrait ne jamais s'apercevoir de sa présence en lui.

Une telle expérience aurait, de surcroît, bien des chances d'être plus pure et aussi plus intense, l'intensité croissant dans l'ordre spirituel au rythme du repos et de la paix.

Nos injustices inconscientes

En insistant sans assez de discernement sur des aspects qui ne sont pas les composantes essentielles d'une grandeur chrétienne, nous pouvons, avec la meilleure bonne volonté du monde, commettre une très grave injustice envers tous les blessés de la vie, ceux-là mêmes que le Christ a pourtant privilégiés au grand scandale des « bien-pensants ». Pourtant, devant Dieu, l'enfant Catez aurait-elle eu une moindre valeur si elle avait été injustement traitée par la vie ? À moins qu'après avoir été soumise à l'injustice d'une éducation malheureuse il aurait convenu que Dieu ajoute encore à son mal en ne l'aimant pas autant ? Ce serait là réduire la justice de Dieu à celle des hommes qui, eux, n'ont d'autre choix que d'incarcérer ceux que des expériences amères ont blessés au point d'en faire des révoltés. Sans compter avec ce fait qui, à lui seul, donne beaucoup à réfléchir : on estime que, parmi les incarcérés, environ quatre-vingts pour cent sont des « hypoglycémiques ». C'est donc dire que, en tenant compte de cette seule maladie, nos prisons seraient remplies à quatre-vingts pour cent de « malades » que, nous, nous appelons des « malfaiteurs ».

Pensons aussi à l'esclavage, qui a été longtemps admis comme une donnée sociale acceptable, même à l'intérieur du christianisme. On verrait bien mal aujourd'hui un propriétaire avoir à son service une phalange d'humains marqués au fer rouge comme des bêtes et soumis à un travail accablant, sans autre rétribution qu'un peu de nourriture pour être en mesure de continuer à donner un bon rendement. Dans cent ans, comment verra-t-on notre manière de traiter les êtres déjà mal partagés, blessés par leur éducation, ceux qui, aujourd'hui, remplissent nos prisons ? Il n'y a pas si longtemps, on battait les enfants qui réussissaient mal en classe, traumatisés qu'ils étaient par un climat familial insupportable. Jadis aussi, on soumettait les aliénés mentaux au « supplice du fouet » pour les « aider » à sortir de leur état !

Il y a en tout cela de quoi nous faire trembler. Qu'est-ce que notre pauvre « justice » ?...

Il est manifeste que les bouleversements suscités dans l'âme par l'approche de Dieu ont tendance à diminuer à la mesure même de la progression de l'âme dans la lumière.

Nous touchons ici à un point névralgique dans l'approche de la vie mystique.

Cette révolution a-t-elle des chances de devenir un enseignement courant pour la consolation des pauvres et des simples ?

La beauté resplendissante de tous ces humbles de la terre qu'on ignore et qui s'ignorent eux-mêmes a-t-elle trop d'envergure pour notre regard distrait, et volontiers profanateur des choses saintes ?

Un jour, au cœur de l'éternité, il nous sera donné de pouvoir lire dans la face du Père toute la joie qu'il aura puisée dans un spectacle qui nous aura laissés indifférents.

On cédera trop souvent aussi à la tentation d'insister sur les charismes exceptionnels dont certaines figures de saints sont doués, ce qui a pour effet d'amener une multitude de personnes simples à se croire obligées de performer dans la même ligne que saint Paul, que Marie de l'Incarnation et tant d'autres.

Le moins qu'on puisse dire, c'est qu'il s'agit là d'une pédagogie boiteuse.

Remarquons que le Christ a adopté exactement le contrepied de cette attitude en posant un regard admiratif sur des gestes simples et si profondément humains comme celui de la veuve qui, dans l'ombre, dépose sa « piécette » dans le tronc, comme celui de la femme hémorroïsse qui, consciente de sa petitesse, n'ose pas déranger le Maître et touche seulement la frange de son manteau.

De même que chez les deux fillettes citées plus haut, l'expérience mystique est ici cachée sous les traits d'une limpidité dont la beauté bouleverse le cœur du Père.

Et il n'est pas jusqu'aux dons d'ordre strictement naturel qui sont décrits de façon à faire désirer leur acquisition comme une manière d'augmenter notre « tonus » surnaturel.

L'enjeu est subtil, et le pas est bien vite franchi, qui vient gauchir la perspective chrétienne.

« Si vous ne devenez comme de petits enfants »

Ceux que l'on propose habituellement comme modèles à notre imitation sont bien souvent des personnes que la nature a privilégiées.

Qu'on pense seulement à une personne comme mère Teresa de Calcutta : ce n'est pas l'ensemble des baptisés qui sont doués comme elle de charismes d'organisation et de leadership aussi exceptionnels.

En faisant la lecture de ses réalisations, les simples et les humbles se défendent mal de ne pouvoir en faire autant.

Et ils mettront facilement leurs minables résultats au compte de la paresse ou du manque de générosité.

Ce n'est pas d'abord par l'envergure de ses œuvres que la « Mère des pauvres » est grande chrétienne, mais par la qualité de sa rencontre avec le Christ.

La réalisation de « grandes choses » ne signifie pas nécessairement une adhésion plus forte au Sauveur.

Saint Jacques a bien dit : « La foi qui n'a pas les œuvres, elle est tout à fait morte » (Jc 2,17).

Ici, la seule « lettre » est dangereuse et elle condamnerait une multitude d'existences vouées à ne jamais sortir de l'ombre, mais qui font pourtant le meilleur de la joie du Père : « Laissez les petits enfants venir à moi » (Mc 10,14).

Face aux grandes réalisations, avoir constamment la crainte d'une possible *confusion des genres* est la marque de ceux que l'Esprit Saint éclaire par le dedans : « Nos bonnes actions sont comme du linge souillé » (Is 64,5).

Incapable de renoncer au rêve

Nous ne sommes pas tous touchés de la même manière ni avec la même intensité.

Certains sont surpris par l'irruption soudaine en eux d'un autre monde avant même de l'avoir cherché et sans l'avoir jamais désiré.

D'autres, au prix d'une ascèse généreuse, auront cherché toute leur vie à y entrer sans pouvoir y accéder jamais.

Pour la multitude de ceux qui ont soif, je le répète, au-delà de tous les malaises engendrés par des formulations toujours insatisfaisantes, une chose demeure: souffrir d'être privé de la rencontre avec le Dieu vivant est l'état d'âme qui prête le moins à confusion.

Demeurer en attente, incapable d'oublier l'essentiel, en rêver toujours en dépit des échecs et des tentations est la marque incontestable de l'action de Dieu dans l'âme.

Pourquoi hésiterait-on à parler ici « d'expérience mystique » ?

Le croyant constamment prévenu de consolations et de lumières peut fort bien être, lui aussi, en communion profonde avec l'Auteur de tout bien ; cependant, rien ne prouve qu'il est irrésistiblement enraciné dans la charité, aussi longtemps que l'épreuve ne sera pas venue vérifier la force du lien qui l'unit à Dieu[22].

---

[22] Au fond d'une campagne, après une dure journée de labeur, un paysan marche jusqu'au bout de sa « terre ». Là, il s'arrête à contempler un splendide couchant. Il revient à la maison en disant à sa femme et à ses enfants qu'il a assisté à un spectacle dont la beauté l'a bouleversé.

À l'autre bout du rang, après avoir été plongé dans le même décor féerique, un autre fermier revient à sa demeure en disant qu'il lui a été donné de palper l'Absolu.

Au centre du même rang, un troisième homme a été remué, lui aussi, dans ses profondeurs par l'exceptionnelle beauté du même spectacle. De retour chez les siens, il leur déclare qu'il a « touché » Dieu.

Les trois ont été remués par le même phénomène.

Seul les distingue le degré de compréhension qu'ils en ont eu.

Est-ce que les trois ont vécu une expérience mystique ?

Il se peut que l'expérience du premier soit la plus profonde et peut-être

Contemplatifs ou actifs ?

Un autre sujet longuement débattu est celui de « l'agir » et du « repos ».

À partir du récit évangélique où Jésus donne sa bénédiction à Marie qui demeure assise à ses pieds, on a toujours eu tendance à distinguer les contemplatifs de ceux qui ne le seraient pas en asseyant les premiers avec Marie et en laissant la besogne aux seconds.

Pourtant l'histoire, et l'histoire du christianisme en particulier, nous montre à l'évidence que cette distinction ne correspond pas au réel et peut être fausse, voire même dangereuse.

Qui hésiterait à classer Marie de l'Incarnation, Thérèse d'Avila, Bernard de Clairvaux, Vincent de Paul et Paul de Tarse parmi les plus éminents contemplatifs ?

N'empêche qu'ils n'ont cessé d'être des « feux roulants » durant toute leur vie et chacun d'eux a abattu à lui seul une besogne que dix personnes auraient eu du mal à conduire à bonne fin.

Détachement et disponibilité

En poussant plus avant notre enquête, nous pourrions facilement constater que bien des êtres, passifs par nature, n'en sont pas pour autant des contemplatifs.

Mais cette manière de voir est si profondément ancrée en nous qu'elle continuera d'avoir gain de cause en dépit de tous les démentis de l'histoire.

---

aussi la plus « surnaturelle ».

L'expérience de Dieu n'est pas mesurée d'abord par la conscience que nous pouvons en avoir, mais par une extraordinaire simplification de la vie de prière et par un dépouillement si total qu'une personne peut les vivre sans jamais s'en rendre compte.

Bien plus, des personnes qui se meurent de désolation, maintenues qu'elles sont dans l'aridité de la foi, sont bien souvent des mystiques de grand calibre.

L'engagement à fond de train n'est pas une entrave à la contemplation, et le goût du silence et du repos n'est pas le signe d'une vie contemplative.

Ce qui est primordial, c'est la « manière » dont chacun vit ses engagements ou son repos.

Le détachement face à ses œuvres pour celui qui est « sur-engagé » et la disponibilité à rendre service pour celui qui est enclin au silence et au repos demeureront toujours les marques distinctives de ceux qui ont été conduits jusque dans les couches profondes de l'Évangile.

Le cloître du monde

Seuls ceux qui vivent déjà intensément leur vie de foi au milieu du monde ont des chances de persévérer, une fois entrés dans la vie du cloître.

Et s'ils ne peuvent vivre dans l'enceinte d'un monastère, tout leur tiendra lieu de cloître.

Ceux qui plongent dans leur vie contemplative alors qu'ils sont cachés dans le cloître pourront vivre cette dimension n'importe où dans le monde[23], tant il est vrai que rien ne peut arrêter l'évolution d'une réalité spirituelle.

---

[23] Que de personnes, vivant dans le monde, aspirent au repos du cloître ! Et si peu d'entre elles sont en mesure de réaliser ce rêve. Les raisons pour lesquelles on désire fuir au désert sont bien souvent à l'opposé de ce que propose une vie dans la solitude. « Le Christ fut emmené au désert par l'Esprit, pour être tenté par le diable » (Mt 4,1). On ne vient pas au cloître pour être délivré des soucis du monde, mais pour être purifié à une plus grande profondeur. À ce sujet, le pourcentage de ceux qui, après s'être présentés, s'en retournent dans le monde est on ne peut plus éloquent.

Un homme d'âge moyen me raconta un jour que, depuis quinze ans, il vivait au même rythme que les moines de notre abbaye : lever matinal, jeûne, prière assidue, silence, fuite du monde et de ses distractions, etc. Il en concluait que sa place était bien plutôt au monastère qu'en ville, où son travail lui permettait de subsister. Autour de lui, il rencontrait constamment des valeurs qui venaient en contradiction avec son mode de vie.

Je lui avais alors répondu que sa persévérance dans une vie aussi austère lui donnait tous les droits d'espérer trouver dans le cloître un milieu plus favorable à sa vie spirituelle. Mais j'ajoutai que, s'il choisissait un jour de

Les obstacles qui pourraient entraver la marche de la vie, celle-ci les convertira en tremplins pour accéder à un niveau de vie plus élevé.

Il y a même danger à venir au cloître pour ceux qui ne sont pas contemplatifs.

L'histoire est là pour nous dire qu'une multitude de moines et de moniales peuvent passer toute leur vie dans un monastère avec des objectifs purement humains.

L'habit leur donne un « faux vernis » de contemplatifs qui peut les berner eux-mêmes.

Le cloître fournit une ambiance plus conforme à ceux qui ont besoin de silence et de paix, mais il ne rend pas quelqu'un davantage contemplatif.

Les moyens extérieurs et les orientations conscientes ne conduisent pas nécessairement au terme désiré.

Il est beaucoup plus juste de dire que c'est le « désir » véritable qui donne à quelqu'un la soif d'un milieu qui se marierait davantage avec les couleurs de ce désir.

Je suis éveillé par l'objet de mon désir : je ne puis que répondre à ses avances.

La richesse cachée émerge au grand jour

Pour prendre un exemple d'ordre négatif, disons « maladroitement » que l'émergence de l'expérience mystique pourrait être comparée à l'apparition d'une maladie mentale chez une

---

faire le grand saut, ce ne devait pas être pour trouver plus de paix et une ambiance plus en conformité avec son capital intérieur, mais bien pour avoir à lutter davantage et à rencontrer plus de contradictions qu'il n'en vivait déjà dans le monde, le « désert » étant le lieu de la « tentation ». À la lumière de ma réflexion, il a « perdu sa vocation »...

On n'insistera jamais assez sur les valeurs qui vivent au cœur de la personne, et on aura toujours tendance à accorder trop d'importance au cadre et à la loi. De cela, le Christ nous prévient sans cesse, et nous avons un mal énorme à changer notre façon de voir. Relire à ce sujet le dialogue de Jésus avec la Samaritaine (Jn 4,20-25).

personne : un enfant vient au monde et il ne présente aucun symptôme anormal jusqu'à ce que, graduellement, apparaissent les manifestations de la schizophrénie, par exemple.

La maladie était latente dans l'organisme et elle se manifeste au fil des années.

Il en est de même pour l'éclosion du noyau intérieur que chacun porte en soi depuis la naissance.

Chez plusieurs, la densité intérieure est trop faible pour arriver à percer l'écorce du quotidien et du pratique.

Tous ceux-là ne souffrent absolument pas de cette séparation d'avec le meilleur d'eux-mêmes.

Quant aux autres, ils pourront tout faire pour éteindre le feu qui monte de leurs profondeurs, ils finiront toujours par être vaincus par lui.

C'est ici, semble-t-il, que devrait se situer la ligne de démarcation entre ceux qui sont mystiques et ceux qui ne le sont pas.

Une terre sainte

À son heure, le disciple se voit investi d'un surprenant charisme, celui d'assister à l'harmonisation de son intérieur.

C'est là une surprise de taille pour le simple humain qu'il a toujours été.

Il se découvre des affinités avec l'enfance.

Cette partie de son être lui avait toujours été soigneusement cachée.

Cet espace du sacré en lui, ses pieds n'avaient jamais eu la permission de le fouler.

La nature avait ainsi ordonné les choses, parce que la vie doit demeurer hors des atteintes de celui qui, mal initié, risquerait de la profaner.

D'une gérance à l'autre

Cette voie nouvelle, il ne la découvre qu'en se surprenant à la vivre.

Il avait toujours dû connaître une réalité avant de pouvoir y entrer[24], mais voilà que les règles du jeu viennent de changer.

Les virtualités du monde nouveau sont inépuisables : en étant éveillé à la connaissance de son propre mystère et en recevant la gérance de ce qui le dépasse de toutes manières, il constate que lui est accordée de surcroît la juridiction sur l'univers tout entier : choses et personnes[25].

Tout est désormais à son service.

Gérer l'univers de l'intérieur[26]

À l'origine, l'homme a vu tous les animaux de la terre venir se soumettre à son autorité. Ils ont reçu de lui le nom qui allait situer chacun d'eux dans le rôle qu'il aurait à jouer.

Adam comprenait ainsi qu'il était devenu le roi de la création.

Mais les limites de l'empire confié à la juridiction du baptisé sont infiniment plus reculées que celles de la première création.

C'est sur le mystère intérieur de toutes choses qu'il est appelé à exercer son hégémonie.

Et, osons le dire, c'est jusque sur le cœur de Dieu lui-même qu'il règne désormais.

---

[24] Il lui avait toujours fallu apprendre une langue avant de pouvoir la parler. De même, il avait dû se familiariser avec la loi avant de pouvoir exercer la profession d'avocat. Mais voici qu'il se découvre une compétence dont il a la parfaite maîtrise sans y avoir été initié.

[25] Non à la manière d'un empereur, mais à la manière d'un enfant qui, sans s'en apercevoir, devient la raison d'être et d'agir de toute la maisonnée.

[26] « Étant seule, la Sagesse peut tout, demeurant en elle-même, elle renouvelle l'univers » (Sg 7,27).

L'amour n'étant que totale soumission [27], gérer et dominer, chez Dieu, ne peut se faire que dans l'acquiescement au moindre désir de l'autre.

Dominer à la manière de Dieu

Évidemment, un tel mystère ne peut être compris qu'à l'intérieur du monde de la charité [28].

Ici, les lois sont à l'inverse de ce qui se passe dans les royaumes où « les chefs des nations dominent sur elles en maîtres et où les grands font sentir leur pouvoir » (Mt 20,25).

Chez les hommes, les grands règnent souvent sur autrui avant d'avoir appris à régner sur eux-mêmes.

Une fois entré au cœur de la Vie, on règne non en « dominant », mais *en se situant au cœur de l'harmonie totale,* définitive, celle qui défie le désordre, à l'image du Christ endormi au fond de la barque alors que la tempête fait rage et menace de tout engloutir.

Le Sauveur va intervenir, mais seulement pour répondre à la requête des siens qui ne sont pas établis comme lui au creux de la paix.

Soyons bien attentifs au fait que ce n'est pas en imposant silence à la mer que le Maître la domine, mais en dormant au milieu du tumulte.

Ce dernier miracle est tellement plus grand que celui où il commande aux éléments ! Commander aux éléments, c'est dominer à la manière des hommes, non à la manière de Dieu.

[27] « Vous m'appelez Maître et Seigneur, et vous dites bien, car je le suis. Si donc je vous ai lavé les pieds, moi le Seigneur et le Maître, vous aussi vous devez vous laver les pieds les uns aux autres » (Jn 13,13).

[28] On peut s'offusquer devant une telle approche, ou mieux, y apporter tellement de « bémols » que la signification en est réduite à pratiquement rien. Mais il reste que les parents vivent déjà cette loi face à leur enfant. Ils sont au service de l'enfant qui, par exemple, peut se permettre de les éveiller à toute heure de la nuit pour la satisfaction de ses besoins et même de ses caprices.

L'harmonie cachée dans le désordre

C'est à la manière de Dieu que le disciple va désormais opérer les miracles.

Il ne rêve plus de tout changer et de remédier aux situations de souffrance et d'injustice mais, comme Dieu, il laisse toute chose à sa place pour en découvrir le sens caché, celui des valeurs éternelles.

En toutes circonstances, il célèbre l'harmonie pleine et n'a même pas la tentation de rectifier quoi que ce soit.

S'il cédait à la tentation d'intervenir, il aurait conscience de perdre l'essentiel et de manquer de respect envers la nature profonde des rouages de la vie.

À l'occasion, comme le Christ, il se soumettra à la pression de ceux qui ne comprennent pas encore et il interviendra par la voie des miracles ; mais « à son heure », lui aussi, il renoncera définitivement à la manière humaine d'agir, au risque de scandaliser ceux qui, comme Pierre, insistent pour qu'il perdure dans le mode ancien d'enseigner et de guérir.

Il choisira résolument d'entrer dans le désordre, comme pour le provoquer et manifester aux yeux de tous que l'ordre nouveau qu'il vient d'expérimenter est plus fort que tout désordre et que, lui, comme le Christ, est vainqueur de ce désordre. Il le sait à l'avance.

Il a découvert sa loi interne à laquelle il ne peut plus se dérober, même quand la pression et les accusations viennent sur lui.

Il n'a plus le choix, il ne peut informer le chaos qu'au moyen de la force nouvelle qui agit en lui tout en n'étant pas de lui, mais qui lui appartient plus et mieux que la sienne propre.

Il revitalise toutes les situations de souffrance et de tristesse en y entrant avec son calme infini et sa force tranquille, avec sa douceur et sa paix !

Et cela, jusqu'au fond des enfers, le lieu de l'irréparable désordre.

Avec sa faiblesse et ses larmes

L'aspect le plus révolutionnaire de cette action nouvelle réside en ce que c'est avec sa faiblesse et ses larmes que le mystique se dirige vers une qualité supérieure de victoire.

C'est ainsi que Thérèse de Lisieux pouvait confesser, en pleurant, qu'elle ne savait pas souffrir, qu'elle était bien incapable d'imiter les géants de la sainteté, elle, trop faible et trop petite qu'elle était.

Ici, nos ambitions humaines perdent définitivement leur droit de cité.

Assoiffé de ce qu'il possède

Depuis toujours, l'homme cherche avec intensité, mais il ignore qu'il est tourmenté par cela même qu'il possède déjà au cœur de son être !

Augustin a appris la salutaire leçon, lui qui, un jour, dans sa soif douloureuse, se fit répondre : « Tu ne me chercherais pas si tu ne m'avais déjà trouvé. »

La longue plainte de l'humanité s'est toujours inscrite dans la trajectoire de celle du psalmiste : « Des profondeurs, je crie vers toi, Seigneur » (Ps 130,1).

Comme si le cœur se sentait privé de son pain sans même le connaître.

Il est bien loin de se douter, le pauvre, que c'est un trop grand capital qui, en lui, engendre le malaise.

Oui, l'intensité de sa quête est strictement mesurée par sa richesse, et non par sa pauvreté.

En conséquence, son insatisfaction lui vient non pas de ce qui lui manque, mais de ce qu'il possède.

Le malaise qui le sépare du monde et de ses proches vient non d'une déficience, mais d'une grâce de choix qui le fait crier vers ce que son intelligence ne connaît pas encore, mais que son cœur a déjà confusément reconnu et « goûté ».

L'enfant qui vient de naître

Mystérieuse loi qu'il nous suffirait de bien comprendre pour vivre notre croissance comme une pure célébration.

«Je surabonde de joie dans toute notre tribulation» (2 Co 7,4).

La personne «consacrée dans la vérité» (Jn 17,19) a compris cette «logique de l'Esprit», et c'est ce qui lui permet d'apprécier son tourment intérieur.

Mais cette victoire, qui est de l'ordre des béatitudes, va fleurir seulement après que le travail d'enfantement à la vie nouvelle aura été accompli.

Dans son aptitude à souffrir du manque de l'essentiel, le mystique reconnaît *le cri d'un enfant qui vient de naître.*

La présence d'une troisième oreille

Nous nous sommes habitués à minimiser Dieu et son agir en l'enfermant dans nos espaces humains.

Par contre, il y a une affinité entre l'inconnu qui nous appelle et nos racines cachées.

Ces deux mondes auxquels nous ne pouvons avoir accès directement sont pourtant capables de dialogue.

Un jour, le lien se fait entre une oreille mystérieuse qui existe en nous et ce monde insaisissable dans lequel nous flottons tous, à la manière de l'enfant qui baigne dans les eaux maternelles.

Ce monde, nous l'avions pressenti plus ou moins vaguement.

L'oreille, nous la cherchions sans savoir si elle existait vraiment.

Nous arrivons à la reconnaître à partir du moment où elle entre en fonction [29].

C'est de cette manière qu'elle nous est révélée.

---

[29] Au fond des bois, un enfant mâle a vu le jour. Il a été aussitôt séparé de sa mère, mais, par un inexplicable miracle, il a survécu sans jamais ren-

Vers d'autres latitudes

Nous chercherions en vain une excuse en disant que le climat de notre monde perturbé et violenté ne favorise guère l'expérience de nos profondeurs.

Notre univers tourmenté constitue au contraire une ambiance on ne peut plus favorable à l'éclosion de notre miracle intérieur.

Nous sommes en effet dans l'obligation de dépasser les enjeux faciles d'une ère de chrétienté.

« Nos temps sont mauvais » (Ép 5,16), et c'est la raison pour laquelle ils nous forcent à chercher ailleurs et plus haut des espaces où respirer.

De la même manière, dans nos vies déchirées et bousculées, là où tout nous semble perdu, nous cherchons non seulement la paix, mais une paix telle qu'elle nous mette à l'abri de ces tempêtes qui menacent de tout emporter.

C'est le fond angoissé de notre être qui nous arrache à nos sentiers habituels et nous oblige à gagner d'autres latitudes.

L'irruption d'un autre ordre de choses

Il semble que nous rejetions alors avec une couleur de mépris ce qui demeure la nourriture de base de tous les autres, mais c'est pour nous rendre compte que nous étions déjà nourris intérieurement par un autre pain. Nous n'avions rien méprisé. Nous avions seulement choisi le meilleur.

Au premier regard, la difficulté ici paraît reliée à l'obligation où nous sommes de passer à un nouvel univers qui lève en nous, mais le côté pénible du changement s'explique par la rupture

---

contrer un visage humain ou une évocation de celui-ci. Il a erré toute sa vie au milieu des bois. À l'âge de dix-huit ans, au hasard de ses longues marches, il s'est retrouvé soudain face à face avec une femme de son âge. Il s'est dit en lui-même : « Mais c'est d'un tel être que je me suis toujours ennuyé. » Il ne pouvait absolument pas savoir ce qui lui manquait, mais il pouvait « souffrir » d'un vide indéfinissable dans sa vie.

que nous devons opérer avec nos anciennes habitudes de voir et d'agir. Quand la surabondance du monde nouveau se présente, nous ne sommes pas disposés à jouer son jeu.

Ainsi en est-il pour l'enfant à sevrer : il ne se doute pas que son fond – son organisme physique et son être spirituel aussi – aspire à une autre sorte de nourriture.

Mais pour y accéder, il lui faudra sacrifier la facilité et l'aisance de la première nourriture.

Il n'y consentira pas de lui-même.

Il nous faut lui « imposer » de force le régime qui est le sien, celui qui est plus conforme à son âge.

Mais nous, qui nous imposera le sevrage de notre manière humaine d'aller à Dieu pour passer à un mode plus adulte de rencontre ?

C'est l'éveil encore « inconscient » de nos racines qui nous arrachera aux enjeux habituels, même à ce qu'il y a de plus sain dans le monde, comme les loisirs, les « distractions », les réalisations d'ordre social ou culturel.

La difficulté réside moins dans le sevrage que dans le plein éveil à un autre registre de valeurs.

De notre fond, l'épreuve sourd d'elle-même.

C'est comme si l'enfant en venait à détester le lait maternel avant même d'avoir été initié à un régime plus substantiel.

Dans le coup de foudre, le sevrage s'opère du dedans sans même que l'on s'en rende compte.

On ne dit pas d'une personne qui fait l'expérience du grand amour qu'elle a délaissé tous ses amis et jusqu'à sa famille, mais qu'elle a choisi le parti le plus comblant.

Et qui songerait à lui en faire reproche ?

À l'écoute de ma grâce

L'épreuve surgit d'elle-même, avons-nous dit, au fond de celui qui est ainsi visité par la lumière.

À un jeune écrivain qui lui demandait s'il avait suffisamment de talent pour faire carrière, le poète Rainer Maria Rilke répondait en substance: « Si tu peux continuer de vivre en n'écrivant pas, la preuve est là que tu n'as guère de choses à dire ! » De même pour chacun de nous: si la poussée de la vie est assez forte en moi pour que la privation de cet autre pain que je ne connais pas encore[30] me conduise à la mort « intérieure », c'est que je suis appelé.

Dans notre vie, il importe moins de découvrir le chemin du mysticisme que de nous rendre compte, en nous mettant à l'écoute de notre intérieur, de quelle manière nous y sommes déjà[31].

---

[30] Bien qu'il m'informe déjà puisqu'il est cause de ma souffrance.

[31] Une enfant a grandi à la campagne. Le dimanche, elle est tout heureuse d'aller à l'eucharistie avec ses parents. L'après-midi, elle passe des heures, seule, à s'amuser derrière la maison. Inlassablement, elle lance son gros ballon rouge sur le toit de la maison et le rattrape au vol. Elle en éprouve un bonheur toujours neuf. Le rite si simple se répète dimanche après dimanche. Son expérience est trop simple et transparente pour qu'elle puisse y discerner le visage béatifiant de l'Amour penché sur elle. Dans sa tête d'enfant, elle ne met jamais en doute le fait que tous vivent avec cette même lumière joyeuse et comblante au cœur. Si quelqu'un s'était avisé alors de lui dire qu'elle vivait une grâce d'ordre mystique comme tous les grands saints, elle aurait pu reprendre à son compte cette parole de Consummata: « Dieu, c'est si limpide, plus on le possède, moins on le sent. » En fait, il nous faut bien admettre que cette enfant est consciente de ce qu'elle vit, mais elle ne songera jamais à le considérer comme une grâce d'ordre mystique. Quelle multitude de mystiques s'ignorent ainsi, pour la bonne raison qu'ils vivent seulement l'« essentiel » de l'expérience de Dieu, celle dont la transparence est telle qu'elle cache son nom à l'intéressé.

Un observateur distrait pourra dire, comme ses parents, que c'est une enfant tranquille et simple. Mais qui saura découvrir dans ces gestes, qui sont ceux de tous les enfants de son âge, une expérience d'ordre mystique? Le bonheur en question ne venait pas du gros ballon rouge, mais d'une précoce expérience de Dieu. Sa vie d'adulte viendra confirmer le diagnostic... qui n'avait jamais été posé ! Comme le pommier fleurit au printemps pour nous révéler qu'il est un arbre fruitier. Plus souvent qu'on ne le pense, il y a ainsi, dans l'ordre spirituel, une floraison printanière qui nous laisse entendre quelle sera la couleur de notre parcours.

Dans les expériences conscientes de Dieu à l'âge adulte, nous pourrons

L'œil intérieur

Après la Résurrection, les disciples étaient à pêcher.

De leur barque, ils aperçoivent un étranger sur la rive.

Jean dit : « C'est le Seigneur ! » (Jn 21,8).

Pierre, lui, ne l'avait pas reconnu.

Que nous faut-il donc pour voir ainsi au-delà du sensible ?

Les disciples d'Emmaüs ont « vu », eux aussi, sous les dehors d'un pèlerin, le Seigneur de la Gloire.

Et l'apôtre Paul pouvait s'écrier au spectacle de l'Église qu'elle était « sainte » et « immaculée » (Ép 5,27).

Aussi longtemps que je ne vois que de l'extérieur, je ne puis atteindre jusqu'à l'essentiel.

Et pour toucher mon propre mystère, il me faut apprendre à m'observer de l'intérieur.

C'est seulement par le fond de notre être que nous pouvons avoir accès au meilleur de nous-mêmes.

Me percevoir en état de « gloire dépouillée », c'est là toute la mystique.

Et m'apercevoir ainsi me donne non seulement de voir le monde en état de transfiguration, mais encore de transfigurer toutes choses en ma propre réalité de gloire.

Car si l'œil du spirituel est apte à voir la lumière, il peut en plus éclairer, comme l'a dit avec tant de justesse saint Jean Climaque.

Les dangers de la satisfaction

Là se cache la mission essentielle de tout baptisé.

---

voir, dans les inexplicables joies de notre enfance, les prémices et la confirmation de la trajectoire que nous suivons.

Notre vie est semée de faits comme celui-ci, mais nous manquons habituellement à la lumière qui nous les présente.

Par son intensité, le feu embrase le bois et le rend feu comme lui.

Tout devient feu et flamme de ce qu'il approche et touche.

De même pour l'être en lumière.

C'est la raison pour laquelle la transformation de mon propre cœur restera toujours la première de toutes les instances en même temps que la forme d'évangélisation par excellence, le premier de tous les apostolats.

Toute notre vie, nous nous culpabilisons de ce que nous ne sommes pas rendus là où l'Esprit nous appelle !

Si nous étions plus près de la vérité, nous redouterions bien davantage d'être en avance sur l'Esprit Saint que d'être en retard sur lui.

L'Évangile nous dit, en effet, par la « condamnation » de tous les justes qui sont « satisfaits » de leurs moissons et de leurs jeûnes, que cette attitude, *moelle de notre désir pourtant, est excessivement dangereuse.*

Nous sommes bien plus près du Royaume quand nous « gémissons » sous la pesanteur de notre péché qu'au moment où nous reconnaissons avoir accompli toute la loi avec la grâce de Dieu, ce qui nous était bel et bien demandé et ce qu'il nous fallait accomplir.

Porteurs d'infini

Celui qui est ainsi miraculeusement informé n'en peut plus de gloire.

Il avait rêvé jadis de changer les hommes et de se transformer lui-même.

Il est désormais tout entier à la contemplation de cette gloire qui a signé partout son nom.

Et, dans cette joie qui demeure, il se rend compte que la conversion est moins une œuvre à opérer qu'un spectacle à contempler ; que cette contemplation de la gloire est le « surcroît » promis et que ce surcroît est chargé en plus d'une incomparable fécondité apostolique.

L'important n'est donc plus d'acquérir ce qui pourrait nous manquer encore, mais d'apprendre à voir d'une autre manière et de prendre ainsi conscience que nous sommes déjà des porteurs de l'Infini, l'Infini de l'amour, de l'amour souffrant ou béatifié.

Nécessaire illusion

C'est de cette manière que le Christ voyait les marginaux et les prostituées.

Derrière le voile, il a découvert la beauté de la souffrance du Prodigue : le tourment de ce dernier était en effet moins relié à l'état de détresse où il pouvait se trouver qu'à l'intensité du feu intérieur qui le brûlait, à la soif encore inconsciente du baiser de son père.

Admirable mystère !

De même, il importe d'en arriver à pouvoir lire dans notre souffrance le langage de notre être en devenir de sa propre substance [32].

---

[32] Nous disons ne pas connaître Dieu !

« Que l'homme soit et Dieu apparaîtra. »

Mais le « Connais-toi toi-même » de la sagesse antique demeure une bien maigre pitance sans la lumière de la révélation.

Si nous nous connaissions, nous saurions que nous sommes faits pour l'amour et que rien d'autre ne pourra jamais nous satisfaire.

Et plus loin encore, nous comprendrions que « l'Amour est fait pour nous » ; quelle annonce !

Nous tentons de grignoter un peu de bonheur ici et là, mais ce n'est que la brûlure répétée et de plus en plus douloureuse qui pourra nous arracher à nos fausses espérances.

Nous ne soupçonnons pas que dorment en nous des soifs invincibles.

Et quand notre intérieur nous lance des messages, nous n'y portons qu'une attention distraite, ou nous leur donnons un visage inacceptable, celui de Béelzéboul.

Ainsi, en toute bonne conscience, nous pouvons nous permettre de l'ignorer ou même de le mépriser.

Quand cette souffrance a commencé de se faire entendre au fond de l'être, il devient impossible de la noyer.

La souffrance existentielle défie la subtilité de nos dérobades.

Et si l'homme aux prises avec ce mal s'illusionne[33] en cherchant un « au-delà » de consolation à sa souffrance, eh bien, la preuve est faite que l'homme ne peut vivre sans cette « illusion »[34] !

---

[33] « La bouche parle de l'abondance du cœur. »

De même, l'imagination crée ses images à la mesure des aspirations du cœur.

L'imagination nous envoie à l'avance des « photos » de ce que nous serons plus tard, des images de ce qui, en nous, est encore à l'état de sommeil.

Il nous importe au plus haut point de ne pas être sceptiques face à ce langage de l'être.

Que de morts nous pouvons enfanter sous le faux prétexte d'une plus grande prudence !

La vie en moi ne ment pas : si elle crie vers quelque chose, c'est le signe que mon pain est là, dans ce qu'elle sollicite.

Qu'en est-il de ma souffrance ?

Est-ce que je puis la lire comme « les larmes de mon être » qui pleure mon absence à moi-même ?

[34] En pensant à la Vierge, j'entre soudain en état de jubilation : un être où il n'y a que communion, transparence, joie, douceur, beauté, harmonie, chaleur, présence, fécondité, célébration, richesse d'être ;

un espace où vit le féminin, le féminin à l'état pur, non piégé, celui auquel tout mon être peut avoir accès, sans réticences aucunes.

Mais la femme en général et cette femme parfaitement femme en particulier ne sont pas, ne peuvent pas être le dernier mot de la féminité.

La féminité, en effet, ne se trouve qu'en Dieu !

C'est là seulement qu'elle existe sans limites et que je puis y communier sans entraves.

Aussi irrecevable que la chose puisse paraître, ce n'est que de façon analogique que la femme est féminine – et la chose vaut tout autant pour la Vierge.

Le féminin n'est qu'en Dieu.

Le miroir de mon être divinisé

Mais voilà que la tentation lève en moi : si les sceptiques avaient raison et que cette femme qu'on appelle l'Immaculée-Conception, celle dont on dit qu'elle a enfanté son Dieu de façon virginale, celle qui a reçu l'exceptionnel charisme d'une perfection sans faille, celle dont l'être tout entier n'est que pure disponibilité, si tout cela n'était que beaux rêves inventés

Une autre qualité de lumière

Nous soupçonnons bien difficilement que dorment en nous des soifs invincibles.

Mais le jour vient où la vie nous bloque tous les chemins.

C'est l'heure qu'elle a choisie pour nous ramener à nous-mêmes.

Nous subissons en gémissant ses approches, mais elle passe outre à nos protestations et poursuit son œuvre, à l'image du

---

par un peuple en mal de tendresse, de rassasiement et de beauté?

Alors je me dis: si les choses étaient ainsi, je me verrais dans l'obligation d'inventer un signe équivalent qui viendrait traduire tout ce qui se vit au fond de moi de désir et de rêve! Il me faudrait trouver une «incarnation» de tout cet univers d'aspirations, de volonté d'atteindre au mystère, et qui se traduit par une intolérable souffrance quand tout cela ne peut se dire ni s'exprimer d'une manière ou d'une autre.

Ainsi, la Vierge, telle qu'elle m'est présentée par la Tradition de l'Église, est moins d'abord une réalité objective qui existerait en elle-même – même si elle existe bien réellement – qu'une incarnation nécessaire de tout ce qui dort en moi et qui attend d'être reconnu, qui veut vivre et qui exige de se dire, comme Dieu exigeait de s'exprimer aux hommes dans l'Incarnation.

La «réalité» de la Vierge n'est pas d'abord «pour» moi, *elle est avant tout «signe de moi»*.

Et parce qu'elle est vierge, elle se refuse à mes rêves de possession pour me rendre à moi-même.

Ce qui veut dire que la joie sans mesure que j'éprouve en pensant à elle et en acceptant pleinement tout ce qu'elle peut être comme espace de communion et de pure célébration (la rencontre des époux apparaît ici tellement limitée!), cette joie est avant tout la célébration de mon propre mystère.

Le rôle *«irremplaçable»* de la Vierge est de me conduire à mon propre mystère.

«ELLE EST LE MIROIR OÙ JE PUIS CONTEMPLER MON ÊTRE DIVINISÉ!»

Le communisme athée a cru bien faire en remplaçant «l'opium du peuple» par le «réalisme» du *paradis rouge*. Le paradis promis est devenu rouge effectivement, mais du sang des soixante millions de victimes de Staline. Et la leçon ne suffira pas: il se lèvera d'autres apôtres qui, soucieux du mieux-être de l'humanité, viendront nous libérer de nos rêves et de nos illusions.

dentiste qui continue d'extraire ma dent en dépit de mes réflexes de protection.

C'est la nuit!

Et l'aveuglement est alors moins l'effet d'une intensité insolite de la lumière, comme on «a habitué» de le dire, que de sa qualité nouvelle et de son étrange nature.

Il nous faut «renaître», et renaître avec un nouveau code de la route.

Les critères d'évaluation changent, et comment donc!

Nous ne l'avions jamais soupçonné, mais il suffisait à notre intelligence de se surprendre à faire confiance pour découvrir qu'au Royaume de l'Esprit «être intelligent» consiste à abandonner la conduite aux initiatives du cœur.

Dégagée de toute gangue

Si louables soient-ils, le désir de la lumière totale et la souffrance de nous en voir privés révèlent que nous ne sommes pas parvenus à respecter tous les espaces de notre cœur.

Notre plénitude réside dans la pleine acceptation de cette pénombre où nous circulons.

C'est ce qui caractérise les témoins de la «lumière» et la joie dont ils débordent.

Ils célèbrent là même où les autres ne trouvent que matière à gémir!

Tous, nous parlons de lumière, mais les êtres transfigurés savent qu'il y a deux sortes de lumière.

Au-delà de la nôtre, ils ont effleuré quelque chose de cette admirable clarté qui cache son nom et se dit au mieux lorsqu'elle laisse seulement soupçonner sa présence.

Alors, c'est ce «pressenti» qui se manifeste comme porteur de la joie sans retour.

C'est là l'expérience mystique dégagée de toute gangue.

Ces transfigurés ont compris que là se cache la loi de l'homme viateur et que l'éternité pourrait bien consister en cette sorte de « pressentiment bienheureux » vécu sans entraves[35].

Dans l'actuel de Dieu

Le mystique ne casse rien.

Il agit comme tous les autres, mais dans les gestes simples de tous les jours, il puise à pleines mains, à plein cœur l'infini, cet infini qui avait toujours été dans sa vie sans qu'il le sache.

Autour de lui, tous besognent à qui mieux mieux pour accumuler des biens qui laissent le cœur sur son appétit.

Lui, il semble sortir du monde, mais ce n'est que pour mieux y entrer.

Au début, il y avait le « passé de Dieu », celui où Dieu sauvait Israël[36] après l'avoir choisi.

Puis a surgi le « présent de Dieu », celui où est expérimentée la rencontre avec le Dieu vivant, expérience dont l'intensité fait « oublier » au mystique tout le passé.

---

[35] Après une très longue absence, motivée par son travail, Luc revient au pays. Il a donné rendez-vous à sa fiancée dans une maison louée à cet effet. Comme il avait été convenu, l'invitée entre sans frapper. La demeure est magnifiquement ornée, la table est mise, somptueuse, les bougies sont allumées, mais personne pour la recevoir. Elle sait parfaitement qu'elle est regardée par son amant invisible. Le silence se prolonge durant quelques instants. Ces secondes sont chargées d'une intensité de vie et de bonheur que la rencontre effective ne pourra qu'atténuer. En ces moments, le couple a pu faire l'expérience partielle de ce que pourra être la communion d'âme à âme, sans que les sens viennent faire ombrage. Nos deux amoureux ne pouvaient tolérer bien longtemps un tel paroxysme. C'est là une pâle image de ce « pressenti » de l'éternité qu'aujourd'hui nous n'avons pas la force de supporter.

[36] Israël avait chanté les merveilles du Tout-Puissant en sa faveur et, à sa suite, le baptisé avait récité les magnifiques psaumes historiques : « Car éternel est son amour » (Ps 136).
Mais voilà que Jean de la Croix, installé à demeure dans la nouveauté des chemins de l'Esprit, émet cette loi étrange : « Si la mémoire s'arrête à quelque chose, elle s'empêche de s'unir à Dieu. »
Dieu n'est pas cela. « Cela » n'est que le signe de la cause cachée.

Enfin apaisé dans le baiser du Père, il comprend que, par voie d'éminence, tout le passé est contenu dans « l'actuel de Dieu ».

Il y a quelque chose en lui qui participe déjà à l'éternité de Dieu.

Il en résulte une étrange simplification de la vie spirituelle et, par suite logique, de toute la vie temporelle.

Le miracle de « notre devenir »

Où est donc cet univers qui donne lieu aux étonnantes formulations d'Angelus Silesius :

« Je suis chose la plus haute [...].
Car Dieu même sans moi est pour soi sans attraits. »

« Je suis aussi grand que toi, et tu es aussi petit que moi. »

« Je sais que Dieu sans moi ne peut vivre un moment ;
Si je me perds, il rend l'esprit de dénuement. »

« En Dieu rien n'est connu : il est un unique Un ;
Ce qu'on connaît de lui, il faut l'être soi-même. »

« Aimes-tu quelque chose en Dieu, par là tu montres que Dieu ne t'est pas Dieu encore ni toutes choses. »

« Je suis enfant et fils de Dieu, et Dieu est mon enfant.
Comment chacun peut-il donc être l'un et l'autre ? »

Il s'agit de nous familiariser avec le miracle de notre « devenir », de voir un effet surgir sans cause qui l'explique, ce qui a le don de nous dérouter toujours.

Une autre prière

L'effort pour verbaliser et décrire l'expérience mystique ressemble à la recherche dans le domaine nucléaire : chaque avancée introduit dans une nouvelle épaisseur du mystère.

Et ce qui rend la tâche encore plus ardue, c'est le fait que *chaque mystique est lui-même un cas unique.*

Cette expérience personnalise celui qui la vit au point d'en faire un monde à part, un monde si original qu'il se refuse à entrer dans nos catégories préfabriquées.

Les mystiques nous sortent littéralement de nos chemins battus.

À preuve, ce cri d'Angèle de Foligno : « Parler de Dieu, faire de grandes pénitences, comprendre les Écritures, avoir son cœur presque continuellement occupé des choses divines, toutes ces vanités spirituelles sont plus trompeuses que toutes les vanités temporelles ; ceux qui s'y laissent prendre tombent dans de multiples erreurs, il est plus difficile de les corriger que de corriger les autres. »

Quand une réalité est conduite jusqu'à son ultime achèvement, elle prend des couleurs qui la rendent méconnaissable pour ceux qui ne sont pas en mesure de la suivre jusque dans ses derniers retranchements [37].

Le Serviteur souffrant d'Isaïe passait pour un être châtié, mais c'était nos fautes qu'il portait.

De même, chez l'être accompli, la prière semble ne plus avoir aucun lien de parenté avec celle qui a précédé.

Elle peut même sembler inexistante aux yeux de celui qui n'a pas encore été introduit à l'intérieur du sanctuaire.

Désir obscur

Nous cherchons à intensifier la lumière, ou bien nous tentons de nous approcher de la source avec le danger de lui manquer de respect.

La solution n'est pas dans ces sentiers.

Il s'agit avant tout d'améliorer notre « manière » de voir.

---

[37] « Comme un surgeon il a grandi devant lui, comme une racine en terre aride ; sans beauté ni éclat pour attirer nos regards, objet de mépris, abandonné des hommes, homme de douleur, familier de la souffrance, comme quelqu'un devant qui on se voile la face, méprisé, nous n'en faisions aucun cas. Or ce sont nos souffrances qu'il portait et nos douleurs dont il était chargé. *Et nous, nous le considérions comme puni, frappé par Dieu et humilié* » (Is 53,2-5).

C'est la raison pour laquelle le Christ s'indigne devant les Pharisiens qui réclament un grand signe dans le ciel.

Dans leur cas, ce n'est pas l'envergure du signe qui fait défaut, mais leur refus de voir.

Peu à peu, le clair-obscur de la foi cesse d'être crucifiant pour se faire « gratifiant », même en demeurant un clair-obscur.

Il devient même l'indispensable espace pour la pure célébration de l'Esprit.

Rien n'est satisfaisant comme de découvrir, de « surprendre » notre cœur assez bien fait pour ne pas exiger de connaître par l'évidence que le cœur de l'autre est bon.

Notre cœur est ainsi façonné qu'il a besoin d'expérimenter la béatitude qu'il y a à croire en l'autre sans preuve : c'est comme si un instinct secret nous donnait de saisir alors que c'est dans un tel geste qu'il atteint au sublime.

« Comme ne possédant pas »

Ce que nous appelons l'expérience mystique est le passage à l'être.

C'est un état où la personne est saisie, puis informée par le sacré ; un état où la solitude n'est plus une déchirure, mais le climat obligé en même temps que vivement désiré pour pouvoir vivre notre pleine mesure.

Ici, la solitude change de visage : elle devient le vase qui contient tout, le milieu où s'opère « la saisie globale et instantanée [38] de toutes choses ».

Jean de la Croix définit cette activité nouvelle comme une « connaissance générale amoureuse ».

On connaît comme ne connaissant pas, dirait l'Apôtre.

C'est ainsi que, dans l'approche des réalités spirituelles, le cœur doit apprendre lui aussi à « posséder comme ne possédant pas » (1 Co 7,30).

---

[38] « Tota simul » (Boèce).

Défi excessivement difficile!

Dans cet univers, c'est le «toucher» qui est premier, alors que dans l'ordre habituel des choses il passe bien après la vue et l'ouïe.

Et, de surcroît, ce toucher est passif.

Nous n'en avons ni l'initiative ni le contrôle.

Nous ne pouvons pas tenir ce qui nous touche ainsi.

Comment n'être pas mystique?

Il est, dans chacune de nos existences, une multitude de choses précieuses qui ne nous sont accessibles que par le désistement.

Ainsi, pourquoi nous est-il si gratifiant d'assister à un coucher de soleil ou de contempler un ciel étoilé, sinon parce que l'inaccessibilité de ces phénomènes nous oblige à «garder les distances», à respecter notre manière la plus riche et la plus rentable de connaître?

S'il était en notre pouvoir d'aller plus avant, nous nous embarquerions pour un voyage au cœur des étoiles et nous serions brûlés vifs par l'intensité de leur chaleur.

C'est comme si la vie n'était belle qu'à distance.

Et nous rêvons toujours de communion, voire de «fusion»!

On se brûle dans l'«immédiat» du contact et on se prive ainsi de l'essentiel en oubliant la loi du cœur profond.

Le «ne me touche pas» de l'Évangile est inscrit depuis toujours dans la nature des choses et, en tout premier lieu, bien sûr, dans notre propre cœur.

Ainsi, paradoxalement, la mystique se révèle non pas comme quelque chose de trop haut pour nous, mais comme étant, tout au contraire, la réalité la plus conforme à notre nature, au point que ce serait faire violence à notre cœur que de n'être pas mystique!...

La victoire au cœur de la défaite

Jadis, nous avions rêvé de tout transformer en nous et autour de nous.

Mais voilà que les enjeux viennent de changer.

Le baptisé est devenu l'instigateur de la gloire !

Il s'éveille à la nécessité d'être transformé, mais cette fois-ci en se livrant au tourment bienheureux qui émonde le fond de son être.

Cela, jusqu'au moment où l'emprise de la vérité l'aura rendu incapable de glisser dans aucune forme de compensation sans en ressentir aussitôt le vide désolant.

Cet indispensable thermomètre est là, à demeure, au cœur de l'homme, et il en est qui songent à le consulter...

Le mystique est demeuré le même à peu de choses près, mais il a emprunté le regard de Dieu pour se rendre compte que, dès aujourd'hui, tout désordre est assis dans la gloire et déjà transfiguré, à commencer par son propre cœur aux prises avec ses blessures et son péché (Pr 24,16).

Le combat humain est désormais révolu.

Tout a été noyé dans la lumière vivante.

Reste uniquement la contemplation de la victoire AU CŒUR DE LA DÉFAITE PERMANENTE, cette contemplation étant, de toute évidence, l'activité essentielle qui fait pâlir toutes les autres.

Dire Dieu de la plus éminente manière

Le combat de l'Esprit a ainsi relayé la stérile agitation de l'homme.

Résonnent désormais en celui-ci les riches harmoniques de cette parole : « Ton Dieu n'est pas là-haut dans le ciel, mais dans ton cœur et sur tes lèvres ! »

Et plus loin, beaucoup plus loin : « Dieu, il est ton cœur ! »

« Dieu m'a fait Dieu », a-t-il envie de s'écrier.

« Dieu m'a fait lui ! »

« Dieu m'a tellement harmonisé avec lui que j'en arrive à ne plus voir de distinction entre lui et moi. »

En même temps prend place le pressentiment paradoxal de Dieu comme d'un être si transcendant, si différent, si loin !

Cela, uniquement le jour où l'homme habite dans l'intérieur du cœur de Dieu où il a été conduit en étant arraché à tout et à lui-même.

Abandonner mon être à la célébration qui m'envahit, c'est dire Dieu de la plus éminente manière, comme le Prodigue qui se laisse conduire dans la fête.

Deux mondes en mésentente

Le tout de ce défi consiste à désapprendre ma façon de combattre et de conquérir.

Mais on ne désarme ainsi qu'en apprenant d'une autre manière.

C'est pourquoi, ceux qui, comme certains « justes » de l'Évangile, sont trop bien « armés » offrent plus de résistance et ont, par le fait même, plus de difficultés à entrer dans ces terres vierges du monde nouveau.

Pendant que la vie nous dépouille de nos subtiles entraves, nous gémissons sur notre pauvreté.

Comme le publicain, nous devons avouer à Dieu que nous sommes sans vertu !

C'est pourtant une telle confession qui nous donnera d'atteindre à cette paix[39] qui règne quelque part, au-delà de nos espaces trop bien mesurés.

---

[39] Monte alors aux lèvres la magnifique prière de l'Église : « Au milieu des bouleversements de ce monde, établis fermement nos cœurs dans la paix. » Le baptisé trouve étrange de se voir ainsi exaucé alors qu'autour de lui le monde continue d'être bouleversé, alors surtout que le péché n'a pas encore totalement disparu de sa vie.

Le difficile, encore une fois, n'est pas la conquête de la Sagesse, mais le renoncement à notre manière de conquérir.

Notre attitude face à la vie ressemble à celle de la personne blessée affectivement qui éprouve de la difficulté à se laisser aimer et ne désire que servir, se dévouer et se donner, sans se résigner jamais à accepter.

Cette personne ne comprend pas qu'en cela elle refuse aux autres la joie de donner aussi.

La fécondité des méandres

Pour la première fois, je deviens « roi de la création », parce que j'ai enfin appris à régner sur mon propre cœur, à l'encontre de ceux qui règnent sur autrui avant d'avoir appris à régner sur eux-mêmes.

Et je règne non en « dominant », mais en me situant au cœur de l'harmonie totale et définitive, celle qui défie le désordre.

Comme le Christ, je dors dans la barque battue par les flots déchaînés.

Je règne non en ce sens que je puis maintenant tout modifier, tout ordonner et remédier à toutes les situations de souffrance, mais, comme Dieu, je laisse toute chose suivre son cours, parce que j'ai découvert le sens caché et la fécondité secrète de tous les méandres de la vie.

J'entre dans l'harmonie pleine.

Comme le Christ en croix, je peux dire : « Tout est consommé ! » (Jn 19,30) au moment même où, dans ma vie, tout est perdu.

Au creux de l'humanité

Je continue d'intervenir dans les causes humaines, comme le Christ qui cédait à la pression des foules pour opérer des miracles, mais l'orientation fondamentale de ma vie est changée.

En dépit des protestations de tous les « Pierre » qui me harcèlent, il me faut choisir d'aller au-devant du tumulte et parvenir jusqu'au fond des enfers avec l'arme de ma paix.

Avec ma faiblesse aussi et avec mes larmes, ces larmes qui ne sont pas sans lien de parenté avec celles de Gethsémani.

C'est là d'ailleurs une des couleurs les plus typiques de la mystique chrétienne, celle qui la démarque des mystiques naturelles.

Comme son Maître, le baptisé n'a pas à jouer au « sur »-homme.

« Ce qui est faiblesse de Dieu est plus fort que les hommes » (1 Co 1,25).

L'expérience chrétienne, parce que la personne et l'agir du Christ la tissent et la colorent, se vit au creux de l'humanité.

Pourquoi les « rites » ?

Une fois découverte cette sorte de fertilité miraculeuse, toutes les autres valeurs risquent d'entrer dans l'ombre : la richesse et la beauté du monde laissées à elles-mêmes, mon agir et, comme en témoignait plus haut Angèle de Foligno, jusqu'à ma propre prière, cette prière qui était mienne, au temps où ma générosité aidée de la grâce pouvait encore se permettre de « prévenir » le cœur de Dieu.

Ici, une épreuve de taille attend le disciple : les rites de toujours et le quotidien apparaissent souvent comme une entrave au jaillissement de la gratuité nouvelle.

C'est là la manifestation d'une première étape où l'œil a appris à percevoir l'essentiel au-dedans de soi, mais n'a pas encore atteint à la pureté et à la profondeur nécessaires pour apercevoir, sous les traits de la miséricorde, l'infini caché au sein du désordre, dans le banal et jusque dans le péché.

La tentation est grande alors d'abandonner les rites qui ne font qu'évoquer la réalité dont la personne est désormais en possession.

Il lui est devenu bien difficile de supporter la lenteur d'une communauté dont les membres circulent encore dans les voies humaines ordinaires.

C'est ici que se manifestent les caractéristiques de l'amour véritable, celles vécues et enseignées par le Christ, et qui s'incarnent dans le don de soi pour que tous aient part à cette surabondance.

Les exigences du cœur

Au tout début, l'Esprit nous tient un langage où nos approches humaines sont respectées.

C'est le lait offert avant la nourriture solide.

Mais vient l'heure où les mots dévoilent la « substance » de leur contenu.

Apparaît alors l'amour-don qui se situe aux antipodes de l'amour captatif ou fusionnel et qui, seul, est apte à satisfaire aux exigences du cœur.

Et ce don total, inspiré par l'Esprit, n'est pas fait d'abord dans un but apostolique ou dans un acte de dépassement sublime.

Cette vérité originelle s'impose du dedans même de la personne.

C'est l'évidence, c'est la loi première de son centre, celle qui engendre harmonie et plénitude.

C'est moins par condescendance pour la misère humaine qu'on agira désormais qu'en raison de l'Infini rencontré là, de façon privilégiée et plus comblante que partout ailleurs.

Il nous est donné d'expérimenter ce que pouvait éprouver le Christ devant les lépreux, les prostituées et les voleurs.

C'est ainsi que la Bonne Nouvelle vient nous initier aux mécanismes profonds de notre cœur.

ORIENTALISME

Évangile et Orient

Au cours de l'itinéraire, sous prétexte de mieux connaître l'Évangile, la tentation était venue peut-être de faire appel aux techniques issues de l'Orient.

Mais l'action de l'Esprit ne va plus en ce sens.

L'Esprit nous introduit dans la nuit [40] et nous habilite à y vivre « confortablement » comme dans notre habitat naturel, ce qui est à l'opposé de l'« illumination ».

L'Esprit nous rend pauvres, il nous accule à nos impuissances et nous dispose à l'acceptation de l'amour « non mérité », ce qui est incompatible avec l'« énergie » que l'Orient cherche à capter pour pouvoir en bénéficier.

Une fois parvenus au terme du parcours, quand la profondeur du message révélé nous apparaît dans toute sa lumière, nous pouvons y lire le contenu positif de l'Orient.

Ainsi donc, c'est par l'Évangile qu'il nous est donné de connaître l'Orient, et non le contraire.

Perturbés de connaissances

Nous péchons si longtemps et si souvent en désirant « connaître [41] » ce qui risquerait de bouleverser notre intérieur !

Pour assimiler une valeur, il nous faut d'abord avoir acquis une unité assez bien articulée pour que l'addition d'une réalité nouvelle ne la déstabilise pas.

---

[40] Sans oublier que la plus profonde de toutes les nuits restera toujours celle du péché.

[41] Regarder un verger en fleurs, puis s'approcher d'une fleur, puis d'une étamine, puis d'un grain de pollen, puis d'une de ses molécules, puis d'un atome ?...
Désolation : le message est tari !

Ainsi, la vitalité du christianisme naissant a pu intégrer la sagesse grecque sans risquer de perdre son identité.

Héroïsme ou voie de facilité ?

À y regarder de plus près, les techniques orientales apparaissent bien souvent comme « une voie de facilité » pour fuir le radicalisme de l'exigence évangélique.

Humainement parlant, il est beaucoup plus facile de nous retrouver dans cette sorte d'héroïsme que préconisent, par exemple, les écoles du Zen ou du Yoga que de nous livrer tout entiers, au fil de l'humble quotidien, au pouvoir d'une Main bienveillante qui nous accueille inconditionnellement, comme nous y invite l'Évangile du Christ, cette école d'incarnation.

Les convertis de l'Évangile nous en sont témoins : ce qui « retourne » le cœur humain, c'est la bouleversante réalité du regard bienveillant de l'Homme-Dieu, qui se pose sur la personne du désespéré.

La loi de Dieu, celle dont l'intelligence de l'homme n'aurait jamais pu soupçonner l'existence, est là.

En terre chrétienne, la réincarnation est chose intrinsèquement impossible, car l'amour n'aurait plus alors d'espace pour jouer !

La réincarnation est nécessaire au même titre que l'impasse de notre péché pour nous aider à mieux comprendre toute la beauté et la profondeur du salut qui nous est offert, la grandeur et la béatitude des larmes chrétiennes qui sont versées moins sur la désolation de nos fautes que sur la splendeur de l'amour qui sauve [42].

---

[42] « Et voici une femme qui dans la ville était une pécheresse. Tout en pleurs, elle se mit à lui arroser les pieds de ses larmes. Il dit à la femme : ‹ *Tes péchés sont remis* › » (Lc 7,37.38.48).

HYPOTHÈSE

Si la réincarnation est la voie, la célébration du miracle inespéré devient interdite.

Il nous faut donner raison au grand frère du Prodigue.

Et la « logique » remplace le « miracle » du salut : le côté déraisonnable de l'amour sauveur n'a plus droit de cité dans le cœur des pauvres et des rejetés.

La danse et la folie ne peuvent plus relever de l'Esprit.

Nos pas sont tristement mesurés par le « tempo » de nos seules victoires.

Et c'est la mort dans l'âme que nous entrons dans la fête.

Nous ignorerons à jamais l'enivrante expérience de nous voir dépassés dans nos attentes.

Nous aurons découvert peut-être le fond de l'homme avec ses richesses insoupçonnées, mais le fond de Dieu nous restera à jamais fermé avec son mystère de pure création.

Tous les marginalisés de l'Évangile se verront confirmés dans leur désespoir.

Désormais, il va nous falloir interdire aux prostituées le privilège de précéder les justes dans le Royaume.

Et sans leur indispensable présence, la fête éternelle va bientôt s'éteindre.

Toutes les couleurs de la vie vont se faner.

Le publicain s'en retourne chez lui avec la pesanteur de son péché !

Et il ne pourra se voir réadmis au « temple... de la renommée » qu'après avoir jeûné de tout ce dont il s'était injustement gavé.

Le miracle, l'inespéré et l'inconcevable, voilà que toute cette inimitable musique se voit tarie sans retour, et l'Évangile en meurt.

Dans le christianisme, on ne répare pas les choses en corrigeant sa trajectoire, mais en acceptant de célébrer avec l'amour qui vient nous rejoindre dans les sinuosités ténébreuses de nos parcours, non pour rendre droits ces parcours, mais pour les transfigurer dans la chaleur de l'Esprit et nous révéler que la lumière avait déjà visité nos impasses avant même que nous les connaissions, et qu'elle avait déjà donné à nos gestes de mort les lignes admirables du visage de la vie.

Le converti de Damas doit se retrouver sur sa monture pour continuer son tumultueux itinéraire.

Sacrilège : les larmes toutes chaudes de saint Augustin étaient données en échange d'un karma !

Le Prodigue devait mettre lui-même la table pour le repas, magasiner pour la plus belle robe, les sandales et l'anneau d'or.

Et surtout, surtout, demeurer sur le seuil de la maison, quand le grand frère se voyait admis au banquet en récompense des moissons engrangées.

La prostituée de l'Évangile pouvait peut-être encore briser son flacon de parfum, mais non plus pour signifier que les valeurs humaines, si belles soient-elles, ne sont que de la cendre sale en face de l'amour qui n'attend rien de l'homme, mais qui n'attend que l'homme.

Et encore et encore, les Pharisiens n'ont plus la possibilité de se scandaliser.

Tout demeure dans l'ordre, dans l'ordre de la mort, là où tous peuvent désormais demeurer paisiblement assis !

Je vois la phalange des martyrs verser leur sang si lourd de levain nouveau : ce sang devient une rançon, un tribut de je ne sais plus quoi.

La plus pure gloire du christianisme acquiert ainsi une valeur marchande aux yeux des hommes, et Dieu est d'accord.

Les plus belles pages de l'Évangile sont déchirées, étant donné qu'elles ne sont plus rentables.

Le cœur si miraculeusement vivant de l'Évangile est menacé de stérilité.

Dieu a troqué la gloire de sa miséricorde pour l'efficacité de la justice humaine.

La réincarnation nous oblige à reprendre le récit de la conversion de Zachée pour la lire en commençant par la fin : c'est la résolution du voleur professionnel de rendre au quadruple les biens qu'il a injustement acquis, c'est cet élan de générosité qui motive le Christ à s'inviter chez Zachée, au moment où notre homme est encore perché dans le sycomore.

Désormais, je n'irai plus au Christ parce qu'il est doux et humble de cœur, mais parce que j'ai le cœur généreux.

La tristesse remplit la terre, parce que le regard du Christ sur les voleurs et les prostituées ne sera plus jamais là pour y opérer le bouleversement salutaire.

Pascal ne pourra plus avoir la joie d'aimer la pauvreté uniquement parce que Lui l'a aimée et non pour avoir accès au Royaume.

Le jansénisme est enfin réhabilité et reçoit la couronne de gloire.

C'est le karma qui, à l'avenir, servira de détergent au péché, et non la pure charité, celle qui couvre la multitude des fautes.

Les martyrs ne peuvent plus mourir afin de Lui être semblables dans ses souffrances et ses humiliations.

Le Dieu de l'Incarnation doit désapprendre à mourir : l'homme n'a plus besoin de rachat, il a appris à se sauver par lui-même.

Noël avec sa joie limpide ne sera plus fêté, car Dieu ne descend plus vers l'homme : l'homme a appris à monter vers Dieu et à devenir digne de lui.

L'Évangile vient d'être passé au crible, et la miséricorde a bloqué dans le filtre.

Tout le reste du précieux contenu demeurait intact, mais un seul détail manquait, l'essentiel !...

Mon rêve de salut chrétien avec sa lumineuse beauté vient de s'effacer.

Le salut est devenu une simple question de « labeur » humain.

La source de la fête est desséchée à tout jamais.

Mais voilà qu'au loin j'entends le bruit d'une fête et j'aperçois le père du Prodigue en flagrant délit d'illogisme et d'injustice : il glisse l'anneau d'or au doigt de celui qui a les mains sales et les vêtements en lambeaux.

Du coup, j'apprends que l'Évangile sera réédité après avoir été effacé.

Un succès de librairie en vue.

Tout est sauvé !

Je me suis « réendormi ».

Le christianisme n'est pas un système de pensée, mais un miracle de salut !

La réincarnation est l'effort héroïque de l'homme aux prises avec son désespoir.

Le salut de l'homme n'est pas à la portée de sa main !

Non ! « Il n'est pas question de l'homme qui veut ou qui court, mais de Dieu qui fait miséricorde » (Rm 9,16).

Croissance et célébration

Depuis toujours, l'homme cherche avec intensité, mais il ignore qu'il est tourmenté par cela même qu'il possède déjà au cœur de son être.

La qualité et le sérieux de sa quête sont strictement mesurés par la richesse de son capital.

Son mal lui vient non pas de ce qui lui manque, mais de ce qu'il a reçu en héritage.

Le malaise qui le sépare du monde et de ses proches découle non d'une déficience, mais de sa surabondance.

Étrange loi de notre être qu'il nous suffirait de bien comprendre pour vivre notre croissance comme une pure célébration.

La personne «consacrée dans la vérité» a saisi cette loi du cœur humain, et c'est ce qui lui permet d'apprécier son tourment intérieur.

Toutefois, cette satisfaction pourra prendre place seulement lorsque la souffrance aura accompli tout son travail de purification et d'enfantement à la vie nouvelle[43].

La conscience qu'il a de moi

Une porte s'ouvre inopinément quelque part au fond de l'être sans que j'aie jamais pu soupçonner son existence.

Je suis surpris du panorama qui se présente soudainement à mes yeux.

Pour la première fois, je suis mis en contact avec mes racines : je vis et j'agis en étant à l'intérieur de la conscience de Dieu.

J'expérimente la conscience que Dieu a de lui-même et la conscience qu'il a de moi.

Le «sensible», bien loin de se voir méprisé, se présente tout à coup sous les livrées du sacré et de l'infini.

À l'intérieur du sanctuaire

Dans l'ordre humain, l'adulte ne revient plus à ses jouets d'enfant.

Mais dans l'ordre de la grâce, quand le sensible apparaît sous son propre jour, il devient l'assise indispensable du spirituel.

Pour le monde et pour le chrétien encore faiblement éclairé, l'Église, par exemple, se révèle souvent comme l'objet de scandale par excellence.

Mais pour celui dont le regard a été traversé par la lumière du Christ, cette même Église, toujours entachée de tant

---

[43] Chez ceux qui sont appelés à vivre dans la lumière, le mépris des valeurs d'être engendre une telle déchirure au fond de l'être qu'ils se voient ramenés à l'essentiel avec une violence inouïe, proportionnelle au mépris qu'ils ont osé afficher face à la vie !

d'humaine faiblesse, est «sainte et immaculée», elle est l'Épouse bien-aimée du Sauveur.

Et le disciple, comme le Maître, n'a qu'un désir, celui de donner sa vie pour elle.

Celui qui prétendrait avoir franchi le mur du Mystère et persisterait dans «la faiblesse du scandale» manifesterait en cela son mensonge et la fausseté de ses prétentions.

De même, l'expérience spirituelle qui éloignerait de l'humain serait soupçonnée de désincarnation.

Le mépris du sensible et des petites choses dévoile la faille.

Pour celui qui a pénétré à l'intérieur du sanctuaire, tout devient «Corps du Christ».

Quand la route devient le terme

Quand Dieu a tout envahi, il n'est plus besoin de parcourir les routes du monde en quête d'images qui le disent, le traduisent, et peut-être, espère-t-on, le donneront.

Le terme du chemin a été touché : que de simplifications !

Désormais, le chemin n'est plus ce qui conduit au but ; il est devenu lui-même le lieu de toute célébration.

Nous n'allons pas vers un terme, nous avons eu accès à l'enceinte du sublime, et là, chaque pas nouveau est accordé à notre essentiel.

Le cœur est devenu le lieu de toute rencontre et de tout accomplissement.

Les merveilles du monde, contemplées jadis pour elles-mêmes, ne sont plus que décevantes images.

Autrefois, on leur avait demandé de nous livrer l'absolu ; aujourd'hui, elles ne sont plus que des harmoniques de cet absolu, caché à l'intérieur de toutes choses.

Qu'elles disparaissent ou qu'elles demeurent, l'essentiel est là.

Il n'est plus indispensable que l'inexplicable visage soit manifesté : il est désormais saisi en lui-même.

L'envergure de ce qui te manque

Au retour de l'enfant prodigue, la fête éclate, mais la célébration une fois terminée, l'essentiel subsiste.

Il y aura toujours la foule de ceux qui s'attristeront de la fin du banquet, mais ceux qui ont eu accès à la véritable fête savent qu'elle a besoin de silence et de paix pour se poursuivre dans l'insondable du cœur : fête immortelle !

Le cœur mettra souvent des années pour s'apprivoiser à la gratuité totale.

Comme les harmoniques de la fête, la lumière semble diminuer, et peut-être même disparaître.

En fait, elle s'affine.

C'est là l'épreuve ultime, la purification de la lumière.

C'est l'heure où la foi est assez forte pour se suffire à elle-même, pour subsister sans les signes.

Elle n'a plus besoin des images de l'infinie substance pour entrer en contact avec celle-ci ; au contraire, c'est la substance infinie qui vient maintenant colorer tous ces signes de sa débordante richesse.

Aussi longtemps que tu demeures séparé de la grandeur et de la beauté, tu ne peux mesurer l'envergure de ce qui te manque.

Quand la noce éclate à l'intime de l'être, tout devient élément de célébration pour toi, et tous les violons du monde se mettent au service de ta gloire.

Rassasié dans le dépouillement

Dans l'ordre humain, nous rêvons de joies faciles, mais la vie nous enseigne que les joies vraiment nourrissantes sont celles qui se sont alimentées d'abord au sacrifice.

De même, si nous rêvons volontiers de mystique comme d'une plénitude et d'une «fruition», comme d'un ciel absent de nuages, l'expérience nous révèle que notre joie a besoin d'aller au-delà de cette perspective trop courte.

Ce n'est pas par l'«acquisition», mais par le «dépouillement» et la «purification» qu'on y atteint.

Il nous faut apprendre à être rassasiés au cœur même du silence et du vide.

Notre perfection a consisté d'abord à vouloir éliminer nos défauts, mais l'Esprit Saint nous a appris qu'il importe de connaître avant tout la miséricorde qui, seule, peut noyer notre mal.

Au niveau social, nous avons rêvé de changer les autres pour une plus grande harmonie du monde, mais l'Esprit nous invite à développer la tolérance jusqu'à l'imprudence et à l'inconvenance.

L'essentiel de ma vie est d'être tout entier à ma fête intérieure, et cela, au sein même de la sécheresse, au milieu des distractions, aux prises avec la tentation.

Là où l'Infini est caché

Il me faut apprendre à célébrer avec si peu de chose!

Fêter à partir seulement de mon être déchiré qui appelle l'infini de la miséricorde.

C'est là le lieu de la béatitude essentielle, celle qui se vit dans le plus absolu dépouillement.

Comme pour le Prodigue, la fête ne peut éclater qu'à partir du moment où, dans mon indigence et mon indignité, j'accepte d'être pardonné et sauvé.

C'est l'acceptation de la gratuité qui engendre la fête.

Rien ne vient de moi, pas même l'acceptation du pardon.

Il me faut apprendre la mystérieuse danse de la vie, celle qui se vit dans le dénuement et la pauvreté.

À la limite, il me faut en arriver à célébrer sans motif.

L'incorrigible soif

Nous cherchons des raisons de célébrer et nous sommes heureux d'en trouver.

Le père du Prodigue, lui, non seulement n'a pas de « raisons » pour célébrer, mais il le fait à partir de l'échec même et du désastre.

Le grand frère, le pauvre! entendait le faire à cause des moissons engrangées!

Serai-je un jour, comme le père du Prodigue, en mesure de célébrer à partir du désordre?

La fête essentielle part du néant le plus grand, celui du péché.

C'est là, dans la vie du baptisé, comme un écho de la Parole des origines qui a donné corps au néant: « Cela est très bon! »

Puis vient la plénitude de la Révélation où nous devrons apprendre à célébrer à partir même de la mort: c'est la Résurrection!

C'est là vivre dans le Christ.

L'expérience du dépouillement total me conduit à pouvoir évaluer l'incorrigible soif de vie qui dort au fond de moi: l'infini s'y est caché.

Autonome comme Lui

Celui qui, un jour, à son insu, est conduit dans les espaces cachés de son être a nettement l'impression qu'il rétrograde.

Entrer dans la voie mystique, c'est, bien souvent, avoir l'évidence de ne pas y être.

En avançant vers le but, nous avons le sentiment de nous en éloigner.

C'est que « Dieu n'est pas celui qui correspond à notre attente.

Il n'est même pas celui dont nous dépendons [44]. »

Mais, objectera-t-on, Dieu ne serait donc plus cause première universelle ?

– Oui, mais il est cause première *de mon autonomie d'abord.*

Il m'a créé à son image et il est lui-même autonomie parfaite.

Le don le plus grand, le plus fondamental qui me vient de lui est celui qui me rend semblable à lui, autonome, sans aucune autre forme de dépendance que celle de la dépendance première : l'autonomie !

C'est là la plus profonde et la plus totale de toutes les « dépendances », et cette dépendance est « glorieuse » comme tout ce qui est le fruit du véritable amour.

Accomplir l'autre est toute la joie de l'amour, la joie de Dieu en tout premier lieu puisqu'il est lui-même l'amour.

---

[44] M. L. GONDAL, NRT, 108, p. 678.

LE SILENCE DE L'ÊTRE [1]

Une insuffisante ration de bonheur

Il y a si longtemps que vous attendez !

Il y a si longtemps que vous espérez !

Il est si évident que vous n'êtes pas rassasiés !

Dans vos vies, tant de fois vous avez été déçus, parce que vos espoirs et vos rêves n'étaient jamais totalement réalisés.

Le bonheur vous a été rationné si longtemps !

L'heure ne serait-elle pas arrivée où vous pourriez avoir enfin la réponse à votre attente,
avoir part à cette plénitude que tout votre être appelle ?

Un enfant pleure quelque part

Il y a, quelque part au fond de vous, un vide en attente de son contenu.

Quelque chose comme un enfant qui aspire à se voir noyé dans l'infini de la consolation.

Cet enfant, l'avez-vous entendu pleurer ?

Il réclame depuis si longtemps !

---

[1] Cette conférence a été donnée au Cap-de-la-Madeleine durant la neuvaine préparatoire à la fête de l'Assomption (1990).

Peut-être a-t-il cessé de gémir parce que, en réponse à sa détresse, vous lui auriez dit qu'il demandait une chose impossible : *le bonheur*?

Donner naissance à votre bonheur

Au commencement, une Main mystérieuse a semé un rêve au fond de vous.

Ce rêve, vous avez aujourd'hui la liberté de l'amener au grand jour.

Il n'en tient qu'à vous de laisser jaillir le plus beau de vous-mêmes, de lui donner naissance, de le faire apparaître en pleine lumière pour votre joie et celle du monde.

Laisserez-vous passer cette chance qui vous est offerte aujourd'hui?

Pourquoi attendre toujours?

L'eau vive, on vous l'avait promise : elle devait jaillir de vos profondeurs et jusque dans la vie éternelle !...

Eh bien, dites-moi, qui de vous a fait à cette heure l'expérience de se voir immergé dans la miraculeuse fécondité de cette eau?

Bien peu de mains se lèvent.

Celui qui a fait cette promesse vous aurait-il induits en erreur?

Alors je me demande pourquoi vous persistez à l'attendre encore et toujours,
cette eau vive qui n'est jamais venue en vous avec toute sa mesure,
cette eau vive qui n'a jamais débordé de votre être au point de remplir le monde et l'éternité de sa surabondance.

Un rêve trop beau pour vous mentir

Non, le désir en vous n'a jamais été rassasié,
en même temps que la soif du bonheur ne vous laisse aucun répit !

Aujourd'hui, vous venez rafraîchir votre âme dans le visage de la Vierge *afin d'avoir la preuve que votre attente n'est pas une illusion.*

Vous avez raison : l'innocence et la beauté, la transparence et l'enfance ont déjà façonné un être à leur image !

Et le plus réconfortant pour vous est que vous percevez un lien de parenté entre cette image si apaisante et le fond de votre être qui a soif de cette même beauté et de cette même innocence.

Les déceptions peuvent continuer de s'accumuler sur vos parcours, elles ne réussiront jamais à vous faire abandonner votre rêve.

Il est trop beau, il ne peut pas vous mentir !

Ne soyez pas injustes envers moi

Ce rêve, vous espérez peut-être que je vous le révèle,
que je vous introduise en vos espaces intérieurs, que je change votre longue nuit d'attente en matin de résurrection et que je transforme toutes les déceptions de votre vie en émerveillement de gloire.

Vous seriez injustes envers moi si vous attendiez cela.

SILENCE ET AMOUR

Le silence que vous connaissez

Vous n'êtes venus que pour entendre parler du silence comme possible chemin de rencontre avec Dieu.

Mais je ne vous parlerai pas du silence auquel vous êtes habitués.

Je n'ai rien à vous enseigner du silence qui est fait seulement d'une absence de paroles ou d'une absence de bruits.

Ce silence, vous le connaissez tous.

Présence au mystère

Aujourd'hui, on a fait appel à un contemplatif pour vous parler du silence.

Et c'est en contemplatif que je vous en parlerai.

Je veux vous inviter à entrer dans *un silence de vie.*

Je désire vous introduire dans un silence qui n'est que *présence au mystère.*

Le silence qui consiste seulement en une absence de paroles ou de bruit est un silence purement matériel, sans chaleur et sans âme.

Introduits dans le mystère

Le silence de vie, celui qui n'a rien à voir avec la parole ou l'absence de paroles, ce silence prend place chez une personne quand elle se voit trop chargée de plénitude et de richesse intérieure pour être tentée de recourir encore au langage.

Le silence de vie est celui où la force de l'amour et la profondeur de la communion sont si intenses qu'elles introduisent jusqu'au mystère.

C'est la communion qui introduit dans le mystère.

Votre cœur est ainsi façonné qu'il restera toujours insatisfait s'il n'arrive pas à obtenir cela de vous.

Vous entrerez dans le silence de vie le jour seulement où, dans la communion, vous pourrez découvrir, puis « livrer » toute la richesse du mystère qui vous habite.

Alors vous pourrez, de surcroît, obliger les autres à faire de même.

Les zones que l'amour éveille

Lorsque deux personnes entrent dans une communion profonde, elles se livrent totalement l'une à l'autre et, à ce moment, les mots deviennent inutiles et même nuisibles.

La nature elle-même impose le silence, parce que ce qui est alors transmis, l'essentiel de la vie, ne peut être véhiculé par le langage humain.

Il en sera toujours ainsi chaque fois que vous approcherez les zones fécondes de vie qui dorment en vous et que seul l'amour peut éveiller.

Chaque fois que la vie vous enveloppe doucement le cœur, vous n'avez pas à *faire silence, à vous imposer silence :* la vie s'en chargera, comme elle sait si bien le faire pour les amoureux.

Du fond de votre être, le silence se fera de lui-même sans que vous ayez à vous l'imposer.

Insuffisance de la parole

Plus que cela, le but de la parole est moins d'éclairer que de conduire au silence et au mystère.

Vous en faites quotidiennement l'expérience, la parole laissée à elle-même véhicule si peu de chose !

Elle est si décevante quand nous lui confions le soin de traduire le mystère !

Et l'insatisfaction qu'elle nous laisse nous pousse à chercher, au-delà des mots, des espaces de vie et de lumière que notre cœur appelle sans cesse.

Quand vous approcherez de votre zone de mystère, la parole cédera spontanément la place à la richesse et à la surabondance de la vie.

Comme la femme enceinte qui, parce qu'elle est trop chargée de vie, n'est plus capable d'agir aussi librement.

Et c'est là seulement que votre cœur trouve la nourriture et le repos qu'il cherche depuis toujours.

La parole n'est à votre disposition que de façon transitoire, en attendant que vous parveniez à la pleine communion, où tout se dit et se comprend sans paroles.

CONTRASTE

Refus de se livrer

Vous savez tous, pour en avoir fait l'expérience, que c'est une injure de ne pas se livrer totalement à la personne qu'on dit aimer, de lui cacher des choses.

Vous savez tous aussi comme il peut être mortifiant de voir vos amis et vos intimes faire des réserves à votre endroit parce qu'ils n'ont pas suffisamment confiance en vous !

C'est que, dans l'ordre de la communion, le refus de se livrer et d'offrir le meilleur de soi devient le plus grave des manquements au silence.

Toute votre attente est tendue vers cet état où il vous deviendra possible de marier votre richesse intérieure avec celle d'autrui, et cela, au-delà de tout langage.

Votre présence ici, devant la Vierge qui est comme l'incarnation de la plus belle partie de votre être,
la joie et la satisfaction que vous ressentez dans son rayonnement, tout cela est précisément une vivante illustration de ce que je veux vous expliquer ce soir.

La mise au jour de votre mystère

Toute la frustration que vous avez connue jusqu'ici vient de ce que votre langage n'a jamais réussi à laisser passer le meilleur de ce que vous êtes.

Ce que vous avez pu dire n'est jamais venu à bout d'épuiser la richesse de votre contenu.

Aussi longtemps que vous aurez recours à la parole pour dire le meilleur de vous-mêmes, cette parole filtrera votre mystère et le retiendra captif.

Elle ne le laissera pas passer.

La parole est impuissante à « mettre votre mystère au monde ».

Le meilleur de votre vie se passe à chercher un moyen de faire comprendre aux autres la beauté de ce que vous savez porter au fond de vous.

Sans crainte de profanation

Dans l'ordre habituel des choses, tu manques au silence quand tu parles aux autres.

Mais dans l'ordre de la vie, jamais le silence n'est aussi total qu'au moment où une personne dévoile et livre tout son mystère, comme l'a fait le Christ, par exemple, à la dernière Cène.

« Vous êtes mes amis, disait-il, parce que tout ce que j'ai entendu du Père, je vous l'ai fait connaître » (Jn 15,15).

Se livrer, c'est faire silence

Le silence de vie est celui où tout l'être se livre.

Il n'y a pas de plus grande béatitude qui soit.

Le bonheur de ceux qui s'aiment est une image du bonheur infini que le Père éprouve à se dire à travers son Verbe dans le silence de l'éternité.

C'est dans le silence que Dieu dit tout son mystère : « Pendant qu'un silence paisible enveloppait toutes choses, ta Parole toute-puissante... » (Sg 18,14).

Si les amoureux prenaient conscience de leur mission qui est de révéler le mystère même de Dieu, son bonheur infini, leur amour deviendrait éternel comme celui de Dieu.

La véritable parole : se livrer

L'important n'est donc pas de vous imposer une discipline du silence.

Dans l'ordre spirituel, l'urgence est d'atteindre à la pleine communion, celle où votre être pourra se livrer tout entier, sans crainte de se voir profaner.

Le silence de vie se révèle ainsi comme étant le plus profond et le plus riche de tous les langages, celui où on ne livre pas seulement des idées, mais celui où vous pouvez laisser passer le meilleur de votre richesse intérieure pour enrichir les autres.

Ce meilleur de vous-mêmes, il est trop dense.

Il refusera toujours de se dire par le moyen habituel des mots.

Aux yeux de la vie, livrer seulement des idées, c'est se taire et se refuser.

Par contre, livrer tout son être, c'est s'enfoncer au cœur du silence.

Dévoiler notre mystère : dernière béatitude

Quand, en s'embrassant, ceux qui s'aiment passent de la parole à la communion, ils expérimentent quelque chose de ce qui se passe dans l'éternel silence de Dieu, là où le Père engendre son Verbe en qui il se dit tout entier.

C'est là l'aspiration muette de toute notre vie !

C'est ce qui fait d'ailleurs la grandeur du mariage chrétien.

Le seul véritable silence est celui qui livre passage à toute l'ampleur de la vie, celui d'où jaillit une vie nouvelle.

Arriver ainsi, dans l'ordre de la foi et de la charité, à créer un climat qui permette de dévoiler votre mystère est ce qu'il y a de plus béatifiant au monde.

Les gens qui s'aiment sont là pour nous le prouver !

Imitateurs de Dieu

Aujourd'hui, si vous cherchez à expliquer la joie cachée qui vous habite le cœur, sachez que c'est la présence de la Vierge qui, par sa paix et sa beauté, vous aide à entrer dans le meilleur de vous-mêmes en le faisant monter jusque dans votre champ de conscience.

Et quand vous serez installés à demeure dans la plus belle partie de vous-mêmes, vous pourrez introduire les autres dans leur être profond et leur faire goûter la même paix.

À ce moment, vous bénéficierez de la plus extraordinaire fécondité qui puisse être : faire accéder les autres au plus grand de tous les biens, la PAIX, les introduire dans leur paix.

Il est bien étonnant de constater que, dans l'amour humain, c'est précisément au moment où l'on entre dans la pleine communion que la fécondité survient comme par surcroît.

C'est là une image imparfaite de cette réalité si belle qui est à la portée de votre main et qui peut faire de vous des imitateurs de Dieu, le créateur du beau et du bon.

Le silence de vie n'est pas d'abord une question d'ascèse ou de technique, comme dans le silence purement matériel, celui qui est fait d'absence de mots et de bruit.

Le silence de vie est don de soi dans l'amour et la béatitude.

La présence d'où jaillit la liberté

Ceci nous amène à une constatation étonnante.

Pour obtenir le silence matériel, il faut vous éloigner de vos semblables parce qu'ils pourraient vous distraire et vous déconcentrer.

Le silence de vie, lui, appelle la présence de l'autre pour que, dans la communion, naissent la lumière, la joie et la liberté.

Ce silence nous apprend que ce n'est pas notre semblable qui gêne notre liberté.

Tout au contraire, ce dernier est l'instrument indispensable qui la fait jaillir en nous.

La communion impose le silence et fait jaillir la vie !

Toute forme de fécondité s'enracine dans la communion, et la communion impose le silence dans lequel tout l'être peut passer.

TECHNIQUES

C'est l'amour qui fait le silence

On mise beaucoup aujourd'hui sur les techniques pour atteindre au silence.

Or, ce n'est pas par les techniques qu'on atteint au silence de vie, mais par l'amour.

Plus que cela, c'est l'amour et l'amour seul qui fait le silence.

Et c'est l'intensité de l'amour qui mesure la qualité et la profondeur du silence.

Si la technique s'avère nécessaire pour arriver au silence, c'est moins parce que nous serions éparpillés que dans la mesure où il n'y a pas assez d'amour dans notre vie.

Sans l'amour, la technique reste un bien pauvre moyen, qui ne peut, à lui seul, permettre l'éclosion de la vie.

Dans l'ordre spirituel, comme dans l'amour humain, vous ne pourrez donc atteindre jusqu'à votre mystère et à celui des autres, en découvrir toute la fécondité, qu'en entrant dans l'amour.

SILENCE ET ADORATION

Aimer jusqu'à l'adoration

Cette expérience de l'amour doit aller si loin et si profondément qu'elle vous pousse irrésistiblement jusqu'à l'adoration.

J'ai une grande nouvelle à vous annoncer, une «première», voici: un amour qui ne va pas jusqu'à l'adoration est un amour qui est indigne de votre cœur.

Sachez-le bien, si vous n'atteignez pas jusqu'à cette profondeur de l'amour qui exige l'adoration, votre cœur ne cessera de vous le reprocher toute votre vie durant.

Vous en demeurerez inconsolables.

L'espace du démesuré

Votre cœur est capable de choses étonnantes !

Se pourrait-il que vous ayez mésestimé bien souvent la plus belle partie de vous-mêmes, votre cœur ?

Vos espaces intérieurs, aucun langage ne peut les atteindre.

Ces espaces sont les plus beaux de tous ceux dont Dieu vous a enrichis.

Un lieu est mûr en vous pour voir fleurir la vie et subir l'étreinte libératrice de l'amour inconditionnel.

Il y a en vous un Saint des saints, un sanctuaire réservé depuis toujours pour l'infini et le démesuré, un espace que personne d'autre que vous ne pourra jamais atteindre ni traverser: cet espace est vierge, absolument, et il ne pourra jamais être visité que par Dieu lui-même et par vous.

C'est la chambre nuptiale où la charité brûle à l'abri de tous les regards profanateurs.

La raison de toutes vos tristesses

Ce lieu, en vous, c'est le champ immense de l'adoration de l'amour, là où votre cœur d'enfant pourra réapprendre à jouer, sans que personne ne lui en fasse reproche.

Cet espace, votre cœur en a depuis toujours la nostalgie.

Et le jeûne que vous lui avez imposé jusqu'ici est l'explication de toutes vos tristesses et de toutes vos déceptions.

Il y a, dans votre maison, un appartement réservé pour la danse et la fête, la fête de la vie.

On n'éduque pas le cœur

Votre cœur ne pourra toucher à la plénitude qu'au jour où il se verra initié à l'adoration de l'amour.

Et comme nos universités sont lentes à mettre sur pied un programme d'accomplissement du cœur !

Comme si ce défi n'était pas vital pour l'humanité !

Mais, à la décharge de nos universités, disons que cette science est quelque chose qui ne s'enseigne pas.

On n'éduque pas le cœur. *Voir p 109, Rêve*

On ne peut que se soumettre à sa loi.

Vous n'arriverez à être bien chez vous qu'à partir du moment où vous aurez appris à vous prosterner au centre de votre sanctuaire intérieur, comme une personne en amour.

SILENCE COUPABLE

La peur de votre mensonge

Avant d'entrer plus avant dans votre sanctuaire intérieur, il importe de vous arrêter d'abord aux obstacles qui vous empêchent habituellement d'en franchir le seuil.

La première difficulté que l'on rencontre sur la route du silence de vie restera toujours *l'impression culpabilisante du désengagement, de la paresse et du temps perdu.*

Mais soyez bien persuadés que ce n'est pas là ce qui explique la difficulté que vous éprouvez à faire silence.

Le mal est beaucoup plus profond.

La difficulté véritable ne vient pas d'un sentiment de paresse, mais de l'appréhension du plus redoutable combat qui puisse vous être demandé : *le combat contre vous-mêmes.*

Le silence vous oblige à faire la vérité sur vous-mêmes.

Il met à nu tout ce qu'il y a de mensonge dans votre vie.

Et devant ce spectacle, vous avez peur !

Le silence conduit à l'amour

Le silence vous oblige à naître à vous-mêmes.

La mise au monde d'un être humain se fait dans la souffrance, mais cet effort n'est pourtant qu'une image d'un effort beaucoup plus redoutable, celui de votre naissance à vous-mêmes dans la lumière, dans la vérité et surtout dans l'amour.

Je dis bien dans l'amour, parce que nous ne pourrons jamais accepter un tel défi en dehors de l'amour.

Voyez la loi merveilleuse qui prend place ici : le silence nous oblige à entrer dans l'amour.

Au-delà de la technique

Mais si c'est là le combat le plus redoutable que nous ayons à livrer, c'est aussi celui qui nous promet la joie la plus grande et la plus durable.

Au fond, la seule difficulté, le seul obstacle au silence, c'est de n'être pas en amour.

Pour accepter de nous voir dans toute notre vérité, il nous faut d'abord être assurés d'un amour inconditionnel.

Et pour remédier à ce mal, les techniques ne sont pas tellement efficaces, parce qu'il n'y a pas de techniques pour tomber en amour !

SILENCE ET CÉLÉBRATION

L'adoration qu'attend l'amour

Le silence est spontanément perçu comme un exercice austère et onéreux, une activité à laquelle il faut s'astreindre.

Mais le silence de vie, lui, n'est pas quelque chose d'ardu, il est pure célébration !

Le silence, c'est un peu comme l'adoration.

On vous a souvent répété, n'est-ce pas ? que, durant l'éternité, vous adorerez le Dieu trois fois Saint.

Mais à quoi pensez-vous quand vous rêvez à cette adoration de l'éternité ?

Si vous avez choisi d'adorer l'Amour en vous prosternant devant lui et en lui offrant de l'encens avec vos louanges, eh bien, sachez-le, je ne veux pas me retrouver dans le même département que vous au paradis !

D'abord, parce que cette manière d'adorer ne m'attire pas du tout, *mais surtout parce que l'amour lui-même n'est absolument pas intéressé à se voir adoré de cette manière !*

D'instinct, l'amour adore

Les amoureux qui « s'adorent » ne sont pas spontanément portés à se prosterner l'un devant l'autre, mais bien plutôt à s'embrasser.

Le climat de la véritable adoration, l'adoration de l'amour – parce que, en dehors de l'amour, il ne peut pas y avoir d'adoration –, l'ambiance de l'adoration n'est pas celle des distances imposées, mais celle de la transparence et de la communion, celle de la célébration silencieuse et d'une miraculeuse éclosion de liberté au fond du cœur.

Nous avons maladroitement alourdi l'adoration de toute notre pesanteur humaine.

L'amour seul connaît la véritable manière d'adorer !

Et il la découvre d'instinct !

L'AMOUR ADORE EN SE « LIVRANT » !

L'amour et sa loi de liberté

La familiarité dans l'amour est la plus haute forme de respect qui soit et, en même temps, ce qu'il y a de plus gratifiant au monde.

Au royaume de l'amour, la familiarité et l'adoration sont inséparables.

Au royaume de l'amour, la danse et l'adoration s'appellent mutuellement.

Et si elles sont pour nous des choses qui ne vont pas ensemble, c'est dans la mesure où nous ne connaissons pas encore le véritable amour et sa loi de liberté.

Les mêmes lois déroutantes qui président à l'adoration président également au silence.

L'ambiance de la vie, l'ambiance de l'amour, l'ambiance du silence de vie n'est pas celle de l'austérité et de la contrainte, mais celle du surgissement de la fête intérieure, celle de la surprise qui, toujours, nous comble au-delà de nos attentes, celle qui, *en nous coupant le souffle, nous enlève aussi la parole.*

En présence de la beauté

Chaque fois donc que vous devez faire preuve de générosité pour vous adonner au silence, soyez convaincus que vous n'êtes pas encore parvenus au silence de vie.

Ce qui veut dire que l'important pour vous *n'est pas d'apprendre à faire silence, de vous efforcer de faire silence,* mais de découvrir en vous le lieu caché où, déjà, le silence a commencé à produire son fruit de béatitude.

Il se vit, au meilleur de votre être, *une célébration silencieuse de la vie à l'image des amoureux qui s'embrassent.*

C'est en face de la Vierge, en présence de la beauté, que vous êtes renvoyés au meilleur de vous-mêmes.

Vous avez besoin de sa présence pour être introduits chez vous, parce que vous ignorez la beauté intérieure de votre propre maison.

La première urgence

Votre réalité la plus belle, vous en ignorez jusqu'à l'existence.

L'important est de rejoindre au fond de vous cet espace mystérieux où la vie est en état de célébration silencieuse.

Actuellement, il y a au-dedans de chacun de vous une fête qui se joue, la fête de la paix.

Cette fête désire vous emporter le cœur dans l'orbite du repos.

Vous n'avez pas à construire ou à conquérir le silence, mais à le découvrir au fond de vous : il est déjà là et il vous attend.

Quand vous aurez donné son vrai visage au silence, vous n'éprouverez plus de difficulté à vous adonner à cet exercice.

Soyez-en bien persuadés, si le silence vous est pénible, c'est dans la mesure où vous ne le connaissez pas.

Allez-vous continuer de vous refuser, sous prétexte que la fête serait trop somptueuse pour vous ?

Au cours de votre vie, vous vous êtes donné bien des urgences et des priorités, mais ce qui, avant tout, était urgent pour vous, c'était de vous laisser toucher par l'amour, de vous laisser glisser dans l'adoration et de devenir communion.

Présence de vie

Je viens de vous expliquer deux choses.

La première, c'est que le silence n'est pas de la paresse, mais le plus redoutable combat qui soit, celui de votre vérité.

J'ai dit ensuite que le silence n'est pas quelque chose d'austère et de pénible, mais une fête silencieuse, celle de l'adoration de l'amour.

J'ajoute une troisième vérité : la chose la plus étonnante, c'est que le silence de vie n'a rien à voir avec le fait de parler ou de se taire !

Nous touchons ici à une erreur très largement répandue !

Ceci est peut-être la chose la plus surprenante en même temps que la plus banale : *le silence n'est pas d'abord une absence de paroles mais une présence de vie.*

Sans sortir de vous-mêmes

Et voici quelque chose de plus surprenant encore : vous qui êtes toujours tentés de vous accuser de paresse et de désengagement, sachez que c'est à partir du jour où votre cœur aura été plongé dans les eaux tièdes de la vie que vous n'aurez plus à vous occuper de changer la face du monde.

Vous n'aurez plus à vous occuper de changer la face du monde, parce qu'alors vous verrez le monde de la même manière que vous verrez votre propre intérieur, dans la même lumière et dans la même beauté.

Vous le verrez enveloppé, comme vous, de paix, de douceur et de repos.

À partir de cet instant, votre vie ne sera plus qu'un continuel miracle.

Tous vos proches seront bouleversés par la qualité de votre inexplicable paix.

Vous agirez comme l'Esprit Saint, dont il est dit qu'il régit tout l'univers sans sortir de lui-même.

Au plus intime de l'autre

C'est votre lumière intérieure qui doit éclairer le monde.

Je vous le dis, même si je soupçonne que vous aurez des difficultés à me croire.

Philippe Zeissig a écrit cette phrase magnifique : « *La vraie parole ressemble au silence : au silence de quelqu'un qui nous aime.* »

À l'inverse, on peut dire que le vrai silence ressemble à la parole de quelqu'un qui nous aime : une parole de vie qui transporte tout l'être et le dépose au plus intime de l'autre pour sa joie.

SILENCE ET ENGAGEMENT

La limpidité de votre lumière

Il vous faut devenir comme le Christ ressuscité !

Vous avez remarqué qu'au matin de la Résurrection le Christ n'a pas étalé sa victoire sous les yeux de ses ennemis pour les convaincre de la vérité nouvelle.

Non, dans la ville de Jérusalem et dans tout l'Empire romain, rien n'a changé en ce matin de Pâques !

Rien ne laisse entendre que le Christ a entraîné tout l'univers dans sa victoire.

Eh bien, c'est à cette qualité de victoire que l'Esprit appelle aujourd'hui les baptisés que vous êtes.

Vous n'avez pas à changer le monde, mais à découvrir d'abord la limpidité de la lumière qui est cachée en vous.

Cette lumière qui est en vous, cette lumière que Dieu contemple avec joie depuis le fond de l'éternité, le jour où vous l'apercevrez, le ciel et la terre entreront en fête, comme le jour où un enfant indigne s'est présenté devant son père pour recevoir un peu de pain.

COMME LE RESSUSCITÉ

Votre appétit de gloire

Une surprise vous attend.

Le jour où vous aurez rejoint au fond de vous la fête qui ne finit pas, la fête qui ne célèbre rien d'autre qu'elle-même, la fête qui célèbre pour elle-même et par elle-même, ce jour-là, vous verrez l'univers comme Dieu le voit et, comme lui aussi au dernier jour de la création, vous ne saurez plus que dire : « *Cela est bon, cela est très bon !* » (Gn 1,25-31).

À l'exemple du Christ ressuscité, vous pourrez dire à tous ceux qui seront bouleversés par les événements :

« La paix soit avec vous ! » (Jn 20,19)

« Gardez courage, j'ai vaincu le monde ! » (Jn 16,33)

Et, pour son bien, le monde commencera alors à s'interroger sur l'existence possible d'une vérité qui pourrait donner un sens à sa vie.

Sachez que vous ne parviendrez jamais à pacifier le monde si vous n'arrivez pas d'abord à asseoir tout votre être dans la paix qui demeure :

une paix qui n'est pas faite de main d'homme ;

une paix que seule la main de l'amour peut construire en vous ;

une paix que personne ne pourra jamais plus menacer ni détruire.

Cette paix, votre paix, est la seule réalité qui puisse rassasier pour toujours votre appétit de gloire et de beauté.

L'amour n'exige que de se voir accueilli

Admettez-le donc, il y a si longtemps que vous êtes en appétit de gloire et de beauté !

Allez-vous aujourd'hui avoir assez de générosité pour donner une dernière chance à votre cœur ?

Ou si vous choisirez, *comme le grand frère de l'enfant prodigue, de demeurer debout sur le seuil* de la porte et de refuser d'entrer dans la fête ?...

Il vous est bien difficile d'accorder un moment de gloire à votre cœur, n'est-ce pas ?

Vous avez toujours cru que, pour vous retrouver dans la gloire et la beauté, il vous fallait d'abord les mériter et en devenir dignes, être parfaits.

Mais non, il vous suffit d'être aimés, d'être aimés d'un amour qui n'a pas à être mérité !

La seule exigence de l'amour est de se faire accueillir !

L'accent dont seul l'amour est capable

La fête de la vie ne se mérite pas, elle s'accepte !

Ce ne sont pas vos préparations qui vous méritent l'amour.

C'est l'amour seul qui vous rend dignes de lui.

Et c'est l'amour qui fait la gloire.

Et c'est l'amour qui crée la beauté.

Non pas l'amour dont vous aimez, mais l'amour dont vous êtes enveloppés.

Non pas l'amour que vous donnez, mais l'amour qui, gratuitement, vous a appelés par votre nom, avec cet accent dont seuls les amoureux connaissent le secret.

Accueil du plus grand des miracles

L'amour ne s'achète pas : « Qui donnerait tous les biens de sa maison en échange de l'amour ne recevrait que du mépris » (Ct 8,7).

Le Ciel ne se mérite pas !

Il n'y a pas de conditions dans l'amour.

L'amour est sa propre cause : «J'aime parce que j'aime», disait saint Bernard.

Il est pour que je sois

L'amour est à lui-même sa fin.

L'amour est le commencement de tout en même temps que l'accomplissement plénier de notre quête.

Il n'y a pas de «lieu» pour l'amour parce que l'amour tient «lieu» de tout !

On ne s'approche pas de l'amour parce que l'amour est partout chez lui.

On ne devient pas l'amour parce que l'amour était là avant nous.

Je ne deviens pas l'amour parce que, sans le savoir, je le suis depuis toujours.

L'amour ne s'intensifie pas.

L'amour ne se purifie pas.

Il est, et je suis !

Je suis parce qu'il est.

Et il est pour que je sois !

L'empreinte de la beauté

Cet amour, comme il vous importe de le reconnaître pour en vivre !

En effet, votre mission ne consiste pas seulement à noyer le monde dans la beauté.

Il vous faut noyer le monde dans votre beauté !

Dieu refuse d'embellir le monde directement et par lui-même.

Ne demandez pas à Dieu d'embellir le monde, car il va vous répondre : «Deviens toi-même lumière et beauté, pour que ta lumière et ta beauté laissent leur empreinte sur le monde.»

Par le débordement de ta lumière

La beauté de Dieu ne peut atteindre et transformer le monde qu'en passant à travers vous, non à la manière d'une conduite d'eau, mais à la manière d'un vase qui déborde !

Ce ne sera toujours que par le débordement de votre lumière et de votre beauté que le monde pourra être rejoint.

Le monde ne peut atteindre à sa beauté d'une autre manière.

La vie a des exigences comme celle-là !

Rien d'étonnant à tout cela quand on sait que Dieu a dit aux humains : semez la vie, devenez féconds en vous aimant, et que d'autres êtres comme vous apparaissent dans la lumière.

La technique et l'amour

Vous le savez bien, l'enfant ne peut naître, ne doit naître que par et dans l'amour de ses parents.

L'enfant peut naître bien autrement, comme la biologie prétend nous l'enseigner aujourd'hui.

Cependant, l'enfant qui naît de la mécanique et non pas de l'amour a de fortes chances de n'être qu'un rouage disgracieux, qui viendra s'ajouter à l'universelle disgrâce d'un monde qui se refuse à l'amour ; la disgrâce d'un monde qui préfère la technique à la pleine harmonie de l'amour.

Sans que rien ne paraisse

À vos yeux, tout doit devenir gloire, comme la ville de Jérusalem au matin de la Résurrection.

Tout doit devenir gloire, mais à commencer par votre propre cœur !

Aux yeux des Juifs incrédules, eux que l'autre lumière n'avait pas encore éclairés, rien n'avait changé en ce jour de Pâques.

Pourtant, tout avait été transformé.

Il en aura été de même pour vous durant votre vie.

Que votre lumière brille

Il faut vous apprivoiser à votre lumière et à votre beauté.

La chose la plus urgente pour vous est d'apprendre à habiter au centre de votre gloire.

C'est là ce qu'il y a de plus urgent pour le monde !

Je vous le dis et je vous le répète.

Libre à vous d'ajouter foi à mes paroles.

Vous aurez oublié d'habiter au milieu de votre gloire et de votre beauté, alors que c'était là la première mission que le Père vous avait confiée, quand il a dit par la bouche du Fils : « Que votre lumière brille aux yeux du monde » (Mt 5,16).

Dignes d'appréciation ou dignes d'amour ?

Qu'avez-vous fait de votre lumière ?

Comment le monde pourra-t-il l'apercevoir, votre lumière, si vous-mêmes refusez de la contempler ?

Un jour, à votre confusion, vous comprendrez ceci : vous aurez toujours pensé que la lumière émanant de votre agir et de vos réalisations était beaucoup plus importante que la clarté enfouie au fond de votre être.

Ce calcul est un désastre aux yeux de la vie !

Avez-vous remarqué que les amoureux n'évaluent absolument pas les choses de cette manière ?

Les performances des autres, on ne peut que les apprécier ou les admirer.

On ne peut pas « tomber en amour » avec les performances de ceux qui nous entourent.

Tout ploie dans l'adoration

L'amour ne songe jamais à interroger ses actes.

L'amour ne fait pas retour sur lui-même !

L'amour entre d'emblée dans l'absolu et le transcendant.

Et dès qu'on a été atteint par le bouleversant toucher de la vie, tout l'être ploie irrésistiblement dans l'adoration.

Ce qui fait la joie éternelle du Père

Je devine ici vos objections.

Vous vous direz à vous-mêmes : « Il y a trop de ténèbres en moi pour prétendre à une telle mission. »

À cette objection, voici ce que je réponds.

Il faut apprendre à vous regarder de la même manière que le père du Prodigue voyait le petit malheureux qui revenait à la maison non par amour pour celui qui lui avait déjà donné sa part d'héritage, mais seulement pour avoir un peu de pain à se mettre sous la dent.

Sous des dehors lamentables, le père découvre en son enfant perdu une lumière qui le transporte de joie.

Depuis toujours, votre Père voit en vous son enfant bien-aimé, et cela suffit à sa joie et à sa fête « éternelle ».

Mais le spectacle qui fait la joie éternelle du Père : votre cœur d'enfant, ce spectacle-là ne suffit pas à votre joie à vous, n'est-ce pas ?

Tout au contraire, cette même réalité vous attriste le cœur.

Une image plus belle que la réalité ?

Croyez-vous que le cœur de Dieu est assez beau et bien fait pour pouvoir prendre toute sa complaisance en vous ?

Allez-vous oser lui dire qu'il n'a pas raison ?

Allez-vous le laisser seul avec cette joie qu'il prend en vous ?

Doutez-vous que le cœur de Dieu puisse être aussi beau que le cœur du père de l'enfant perdu ?

L'image qui vous est donnée de Dieu dans la parabole serait donc plus belle que la réalité désignée ?

Allez-vous faire à Dieu l'injure de lui préférer une image ?

Le jour de votre annonciation

Comme il est difficile pour votre cœur de croire à l'amour gratuit qui, pourtant, est le fond même de Dieu !

Et, toute votre vie durant, vous aurez cherché et attendu de l'extérieur, dans l'amour et l'appréciation des autres, une justification de l'attitude de Dieu envers vous.

Peu à peu, du fond de votre être, va émerger un jour une évidence infiniment discrète et paisible, si discrète qu'elle risque de demeurer longtemps inaperçue de vous.

Quand elle aura grandi et qu'elle se sera affermie, vous allez percevoir dans cette sorte «d'annonciation de vous-mêmes» que toute votre vérité était cachée là depuis toujours.

Vous, les élus de l'amour gratuit

Il est un silence qui ne s'apprend pas.

Il est un silence qui se révèle gratuitement.

Il est un silence qui vous surprend et s'impose à vous à partir du fond même de votre être.

Les choses de la vie *ne s'apprennent pas, elles nous surprennent !*

Aussi, la chose la plus importante pour vous aujourd'hui est de préparer votre cœur aux surprises que la vie vous prépare.

Votre cœur n'a pas foi en ce possible miracle qui, d'un coup, viendrait tout accomplir en vous !

Allez-vous toujours agir comme le monde qui, avec sa prétention orgueilleuse, s'obstine à vouloir tout conduire, vous, les élus de l'amour gratuit ?

Le fruit qui rassasie

Il est un silence auquel vous pouvez parvenir par vos efforts, celui qui consiste à éliminer la parole et le bruit.

Mais les fruits qu'il produit ne pourront jamais étancher votre soif.

Le silence qui, à votre étonnement, surgira un jour de vos profondeurs est porteur, lui, d'un fruit dont la richesse et la fécondité vous rassasieront le cœur pour toujours.

C'est du fond de vous seulement que peut venir la nourriture qui ne déçoit pas, comme il est advenu au Christ, le jour où il a compris qu'il était l'égal du Père et la lumière du monde.

Avec l'innocence d'un enfant

Cette nourriture, si neuve et si originale, laisse derrière elle tout ce que vous avez pu voir, entendre ou lire ; elle vous avait toujours caché sa présence ; elle est un jaillissement de vie dont vous serez les premiers à vous étonner ; un printemps avec toutes les images de bonheur que vous avez pu rencontrer.

C'est à la suite d'une telle expérience que vous allez vous éveiller un jour avec un visage plein de lumière, avec une innocence plus limpide que celle d'un enfant, avec une paix que rien ne pourra jamais plus menacer.

Mais prenez patience, car il vous faudra résister longtemps avant de consentir à ouvrir la porte à la grandeur et à la beauté de votre mystère.

SILENCE ET HARMONIE

Rongés d'inquiétude

Quand vous aurez rejoint ce qu'il y a de plus beau au fond de vous ;

quand il vous sera donné d'accéder à la révélation de ce que vous êtes en vérité ;

quand vous pourrez vous voir dans la même lumière et avec la même joie que celles de Dieu, vous recevrez alors l'évidence que votre harmonie intérieure peut atteindre jusqu'au miracle, vous tous dont l'intérieur est depuis si longtemps rongé d'inquiétude, d'incertitude et de solitude.

L'épée de feu

Jusqu'ici, vous avez toujours eu peur de rêver trop grand.

Sans vous en rendre compte, vous vous êtes protégés contre le bonheur.

Le bonheur aura toujours été quelque chose de menaçant pour vous !

Sans vous en douter, vous aurez toujours vécu en face de l'ange qui, avec son épée de feu, défendait à nos premiers parents d'entrer dans le paradis terrestre, vous qui, pourtant, n'avez cherché que cela, le bonheur, la stabilité du bonheur, le plein bonheur !

Vous avez continué de vivre comme si n'aviez jamais entendu cette voix qui vous a dit un jour :

« Demeurez dans mon amour » (Jn 15,9).

« QUE VOTRE JOIE SOIT COMPLÈTE » (Jn 15,11).

Un seul interdit : le bonheur « relatif »

Vous avez continué de vivre comme si l'ange de Yahwé était demeuré à la porte du paradis perdu, avec son épée de feu, pour vous défendre l'accès au bonheur.

Comme si une vieille culpabilité vous interdisait depuis toujours l'entrée dans la joie totale.

Et vous avez consenti à vous satisfaire d'un bonheur relatif, ce qui était un péché d'omission dont la gravité vous aura toujours échappé.

Vous n'avez plus le droit de vous satisfaire d'un bonheur relatif, d'un bonheur qui menace toujours de vous lâcher.

Vous n'avez plus le droit de vous limiter à ce bonheur-là depuis que la joie même de Dieu vous a été offerte !

La difficile confession du cœur

Comprenez-vous que vous avez besoin d'être initiés à l'audace du plein bonheur ?

Croyez-moi, votre cœur n'ose pas encore réclamer la qualité du pain auquel vous avez droit.

Et si l'amour vous en faisait cadeau aujourd'hui, vous lui diriez : « Il doit s'agir d'une erreur de destinataire. »

Il n'y a, en effet, qu'une seule explication au fait que le bonheur n'a pas encore traversé votre vie de façon permanente, *c'est que vous vous défendez contre lui comme vous le feriez devant un fruit délicieux, mais* qu'on vous aurait interdit de manger.

Vous savez tous qu'il n'est pas facile d'ouvrir à l'amour le cœur d'un enfant à qui, depuis toujours, l'amour a été refusé.

Eh bien, accepteriez-vous de vous entendre dire aujourd'hui que vous êtes des blessés de l'amour ?

Quand vous aurez l'audace de faire cette confession, votre délivrance sera bien proche.

Et vous ne pourrez jamais vivre la délivrance aussi longtemps que cette confession ne sortira pas de vos lèvres.

J'ai mal dit : aussi longtemps que cette confession ne sortira pas de votre cœur profond.

RÊVE

Affamés et tourmentés

Il est en vous tant de richesses qui attendent de lever, mais que vous avez négligé de cultiver, parce qu'il est inconcevable à vos yeux que de tels fruits puissent pousser dans votre jardin.

Vous êtes des affamés d'absolu.

Vous êtes les porteurs d'un mal d'éternité.

Vous souffrez d'une absence.

Vous convoitez l'infini.

Vous êtes tourmentés par le besoin de vivre.

Vous vous sentez douloureusement absents de la fête.

Vous ne pouvez définir ce vide qui vous suit partout et toujours, ce vide que vous avez tenté de remplir en construisant vos rêves de bonheur.

Malades de vivre

Vous avez aspiré aux plus belles choses : la réussite, les vacances, le grand amour et quoi encore ?

Mais quand un jour vos rêves se sont réalisés, vous avez aussitôt expérimenté qu'une partie de votre cœur continuait de réclamer encore et toujours.

C'est que votre désir est plus grand que vous.

Et de ce mal, vous ne guérirez jamais.

Vous êtes malades de vivre !

CONTEMPLATIFS

L'inguérissable nostalgie

Ici, vous aurez peut-être la tentation de demander : « Mais par quel moyen parvenir jusqu'à ces espaces infinis qui sont en moi ? »

Je vais vous décevoir en vous répondant que *chacun de vous est la réponse vivante à cette question.*

N'attendez pas de moi la lumière à laquelle vous aspirez.

La réponse, elle est au fond de vous, et là seulement !

Il est un moyen très simple de savoir si vous êtes travaillés de l'intérieur par la vie.

C'est la présence en vous d'une sorte de nostalgie qui persiste au moment même où vos rêves les plus beaux se réalisent.

Si, au milieu des bonheurs légitimes du monde, vous cherchez encore et toujours ;
si vous sentez alors un vide, un coin de votre être qui n'est pas pleinement rassasié, eh bien, vous avez en cela la preuve irréfutable que vous êtes habités par une exigence de vie qu'aucune dimension humaine n'arrivera jamais à satisfaire.

Vous êtes sensibilisés à l'essentiel de telle façon que, si un jour vous cédez au mensonge du monde et à ses illusions, vous ne pourrez qu'agrandir ce vide douloureux qui est installé à demeure au fond de vous.

Vous êtes des « tourmentés » de la vie.

Les appels de la gloire

Et c'est alors que vous êtes *des contemplatifs au vrai sens du mot.*

Car ce n'est pas le cloître qui fait le contemplatif, mais la vivacité de l'attente, l'intensité du désir et le malaise de l'inaccomplissement qui, toujours, persistent au fond de l'être.

L'Église de notre temps a un immense besoin de cette catégorie de témoins, parce qu'il y a trop de chrétiens dont le cœur n'est pas suffisamment inquiété par les appels incessants de la plénitude et de la gloire.

L'Église a un urgent besoin de ces tourmentés que vous êtes !

LES EXIGENCES DE VOTRE CŒUR

Votre aptitude à l'insatisfaction

Le cœur et l'âme de la vie contemplative, ce n'est pas d'abord, comme on le pense trop souvent, la consolation, la paix et la lumière.

C'est bien davantage l'indéfinissable malaise de se sentir séparé de l'essentielle beauté.

C'est en cela que vous êtes des contemplatifs, *des « insatisfaits »*.

La soif exacerbée

À ce titre, l'Église n'aura, fort probablement, jamais compté autant de contemplatifs dans ses rangs qu'aujourd'hui, au moment même où tant de fidèles et même de pasteurs gémissent parce que l'indifférence religieuse serait devenue la plaie de notre temps.

Sans le savoir, la société de consommation joue contre elle-même.

Elle veut vous persuader qu'elle a tout pour vous remplir le cœur, en même temps qu'à aucune époque de l'histoire notre planète n'aura connu autant de désespérés, de personnes en proie à l'insupportable souffrance du vide et confrontées au non-sens de la vie !

Refus des fausses valeurs

C'est à croire que la vie se moque du monde et de ses fausses valeurs.

Voyez, les jeunes des pays les plus riches sont acculés à l'angoisse, portés au suicide, au moment même où on leur offre des biens de consommation en surabondance !

C'est peut-être là la chose la plus difficilement explicable qui soit !

C'est la réfutation par excellence des fausses valeurs du monde.

En attente d'infini

À cette heure, en chacun de vous, il est un lieu où habite un silence d'éternité.

Comme si, vivant encore sur la terre, vous aviez déjà un pied dans le Royaume.

Il est en vous une aptitude à entrer dans les espaces de Dieu pour y courir comme un enfant.

Il est un phénomène inexplicable : vous êtes sortis des racines de la terre, vous êtes glaise et limon, et voilà que ce pur produit de la matière est en attente de quelque chose d'infini, en attente de quelque chose que la terre ne pourra jamais lui offrir.

Plus vous vous étudierez à persuader votre cœur qu'il est fait pour le transitoire et le superficiel, plus il va protester et finir par vous confondre !

Quand vous tenterez de le résoudre à n'exiger rien d'autre comme nourriture que celle qui peut satisfaire le « logique » et le « raisonnable » en vous, le meilleur de vous se révoltera toujours.

Jamais personne n'arrivera à le convaincre de se taire quand vous lui imposerez la privation de la manne essentielle, celle de l'amour, de l'amour qui ne peut ni vous trahir ni vous décevoir, vous que l'amour a tant de fois déçus.

ENJEUX

Éveillé à ta vocation

Vous attendez devant le mystère et, en même temps, vous avez peur de l'inconnu qui dort en vous !

Et vous avez bien raison.

Vous pressentez en effet que, si vous êtes attentifs à ce qui veut monter de votre fond, vous ne pourrez plus connaître de repos aussi longtemps que la vie ne viendra pas vous dire :

« Te voilà enfin devenu digne du don que j'ai toujours désiré t'accorder. »

« Te voilà enfin éveillé à ce que j'ai toujours voulu faire de toi. »

La joie si triste du mensonge

Si vous prêtez l'oreille à la vie, si vous ouvrez vos yeux à la lumière, vous ne serez plus capables de vous mentir à vous-mêmes.

Vous serez délivrés pour toujours de la joie malsaine du mensonge.

Votre cœur s'en attriste à l'avance.

Votre réaction s'explique facilement : depuis toujours vous êtes habitués à la joie stérile du mensonge !

Les reproches de votre cœur

À l'heure de la vérité, vous demanderez sincèrement pardon à votre cœur de lui avoir si longtemps refusé ce qu'il était en droit d'attendre de vous : *la permission de vivre !*

Vous rendez-vous compte que vous lui avez toujours dénié ce droit fondamental ?...

Oserez-vous l'interroger maintenant pour savoir s'il n'aurait pas quelque chose à vous reprocher ?

Face à l'innocence

S'il fallait qu'au dernier jour vous deviez constater à quel point vous avez mésestimé votre capacité d'innocence et votre intensité de lumière ?

S'il fallait qu'au dernier moment vous deviez vous rendre compte que vous avez toujours vécu en deçà de la beauté que le Créateur vous avait donnée ?

C'est peut-être votre chance d'en prendre conscience, face à celle dont l'innocence a rempli l'univers et dont la beauté nous permet de respirer encore.

Vous reconnaissez-vous en elle ?

Comment réclamer la plénitude ?

Un jour vous vous retrouverez dans la situation de l'enfant prodigue aux pieds de son père.

Remarquez que ce raté de la vie n'attendait qu'un peu de pain en retour de son travail.

Le pauvre enfant était bien loin de se douter qu'il avait droit à la toute première place dans la maison de son père avec, en surplus, la plus belle robe, l'anneau d'or et le banquet.

Depuis toujours, il avait habitué son cœur à se satisfaire de l'accidentel !

Comment aurait-il pu songer à réclamer l'essentiel, à savoir l'apaisement du cœur dans *la plénitude de la tendresse et de la communion* ?

Sevrés de la joie essentielle

Dans l'univers des temps nouveaux où le Christ a daigné nous introduire, tout fonctionne à l'encontre de nos lois mesquines.

Voyez : n'est-ce pas d'un homme déjà couché dans la mort que la vie est sortie, victorieuse à jamais ?

L'Évangile nous a annoncé que c'est au fond de nos larmes que peut se rencontrer le seul véritable bonheur.

Eh bien, de la même manière, c'est à l'intérieur de vos prisons et dans la souffrance de vos blessures que germera un jour la liberté promise.

C'est votre cœur tourmenté qui enfantera la paix qui ne passe pas.

La fontaine est là, en permanence dans votre fond, et votre mal, votre souffrance et la souffrance du monde, est d'attendre d'ailleurs l'onguent qui guérira ce mal d'être, l'onction qui consolera votre cœur trop longtemps sevré de la joie essentielle.

Acceptation du miracle

Qui de vous aura, ce soir, l'audace d'exiger du Père, de votre Père, la plénitude de la tendresse et de la communion ?

Vous ne la méritez pas, c'est l'évidence première.

Vous en êtes indignes, tous peuvent vous rendre ce témoignage.

Mais vous dont le cœur a besoin d'être guéri, vous, blessés de la vie, vous êtes acculés à devoir accepter le miracle, et ce miracle remplit les pages les plus belles de l'Évangile, l'Évangile des faibles et des pauvres.

La vie qui ne dit pas son nom

Vous savez tous que si vous laissez votre estomac trop longtemps sans nourriture, il finit par ne plus réclamer son dû.

De la même manière, si vous sevrez trop longtemps votre cœur de sa véritable nourriture, il finira par l'oublier et ne plus la réclamer !

C'est une chose épouvantable quand, chez quelqu'un, le cœur démissionne de ses exigences ; *alors tout est perdu !*

Mais restez sans crainte, votre présence ici manifeste que votre cœur aspire à quelque chose d'autre que ce qu'il possède déjà.

Vous êtes à l'écoute d'un message qui ne vient pas d'ici-bas.

Une soif plus grande que vous

À cette heure, en présence de votre mystère, vous réagissez comme les disciples d'Emmaüs: vous êtes abattus et vous ne reconnaissez pas la vie qui marche à vos côtés.

Il y a beaucoup de tristesse et de manques dans votre vie, n'est-ce pas?

Mais comme les pèlerins d'Emmaüs sur le chemin du retour, après l'irruption de la lumière en vous, vous comprendrez que votre cœur baignait déjà dans la joie au moment où vous expliquiez la profondeur de votre peine à ceux qui avançaient avec vous sur la route.

Vous avez mal, et rien ne peut répondre adéquatement à votre appel.

L'amour humain lui-même, en ce qu'il a de plus beau, ne réussit pas à faire taire en vous ce besoin qui excède tout ce que vous connaissez, ce besoin plus grand même que vous!

Le meilleur pain, celui de la maison

Il va vous falloir ouvrir une troisième oreille au fond de vous, l'oreille du cœur, pour comprendre le message.

Depuis toujours, ce que vous dites et ce que vous entendez contient infiniment plus que ce que vous pouvez concevoir.

Le moindre de vos gestes a une portée infinie.

Vos paroles sont porteuses d'un message qui dépasse tout ce que vous désirez transmettre aux autres.

Et même si vous n'osez pas réclamer l'essentiel, cet essentiel que votre cœur sollicite inlassablement, cet essentiel que nul autre que vous ne peut recevoir, même si vous êtes obsédés par votre indignité, le Père, lui, sera toujours là pour vous redonner le meilleur de tous les pains, celui de la maison, et tout l'accessoire par surcroît.

Et le miracle est que tous ces biens secondaires ne menaceront plus votre quête de l'essentiel.

En effet, à partir du jour où votre cœur aura goûté à la joie qui demeure, il ne pourra plus en être détourné.

La communion à la vie l'immunisera contre les idoles en vous permettant de donner à chaque chose sa valeur et sa place.

Il en est ici comme de la fidélité dans le couple: le grand amour est la plus sûre garantie que l'autre me restera attaché.

PRODIGUE

Transformer les obstacles en moyens de croissance

Même alors, vous ne cesserez pas d'être tourmentés.

Le changement qui va s'opérer en vous ne fera pas disparaître votre malaise intérieur, mais il le transformera miraculeusement en joie durable.

Votre martyre lui-même deviendra le meilleur de votre joie, une joie qui sera toute votre vie.

C'est en cela que consistent les victoires de la vie: *transformer tous les obstacles rencontrés en moyens de croissance.*

Toute la gamme de vos souffrances se verra transfigurée en pure joie du Royaume.

L'amour passion qui tourmente le cœur

Découvrir le secret de changer toutes vos afflictions en joies pures du Royaume vous semble impossible, n'est-ce pas?

Pourtant, observez ce qui se passe chaque jour dans l'amour humain.

La personne en amour s'ennuie à mourir de l'être aimé quand elle en est séparée, mais pour rien au monde elle ne voudrait être délivrée de cet amour qui la tourmente et qui est tout son bonheur, toute sa vie.

VOUS RÉVÉLER À VOUS-MÊMES

La mission qu'on m'a confiée

Avez-vous pensé, un jour, à consacrer le meilleur de vous-mêmes à la lumière et à la beauté ?

On ne m'a pas invité ici pour ouvrir vos tombeaux, comme si vous étiez des prisonniers de la mort.

On m'a offert l'occasion de venir m'enrichir de votre lumière.

Je ne suis pas venu vous dire où est la vérité, mais vous apprendre que vous êtes des vases débordants de vie !

Dépassés par le meilleur de vous-mêmes

Il y a chez vous un tel désir de vivre ;

il y a en vous un tel besoin de tendresse et de communion ;

il y a en vous une telle exigence de bonheur plein que vous en êtes inconsolables, avouez-le !

Vous êtes dépassés par le meilleur de vous-mêmes.

Vous n'y pouvez rien !

Une voix qui crie dans le désert

Vous avez tant de fois essayé d'apaiser ce malaise permanent en remplissant votre existence de tout ce que vous pouviez concevoir de bon, et pourtant, cette voix qui vient de vos profondeurs, vous n'arrivez pas à la faire taire, elle appelle, elle appelle !...

Et toujours vous demeurez sur votre appétit.

VOTRE DÉSIR

La persistance du désir

Qui de vous est actuellement comblé au point de ne plus rien désirer ?

Vous nourrissez l'espérance de voir s'ouvrir quelque part une porte qui donnerait sur la lumière bienheureuse, celle qui vous rassasierait enfin et serait le dernier mot de ce que vous êtes !

Comment allez-vous apaiser la hantise de votre espérance, cette espérance qui ne veut pas mourir ?

Qu'allez-vous faire de votre désir, de votre désir qui n'a jamais connu le repos ?

Êtes-vous assez naïfs pour croire que vous allez réussir, un jour, à endormir votre appétit de lumière ?

Soyez sans crainte, votre soif est plus tenace que toutes vos résistances et que toutes vos incompréhensions.

Elle sera toujours plus forte que toutes vos lâchetés et vos refus.

Et c'est là votre salut !

L'intempérance de votre cœur

Allez-vous accorder foi à ce que vous entendez, ou si vous allez tenter de persuader votre cœur qu'il exagère dans ses prétentions ?

Allez-vous l'accuser d'être intempérant dans ses ambitions de bonheur ?

Intempérant au point de ne pas vous laisser la liberté de vivre à la manière facile de tous ceux qui se ferment aux appels de dépassement, à l'attrait des espaces où se cache la joie qui ne passe pas ?

Victimes de vous-mêmes

Il vous faudra l'installer bien haut, votre joie !

Votre cœur aura toujours raison contre vous, même s'il est insupportable d'exigences.

Vous en avez l'intuition, il vous questionnera jusqu'à la fin.

Jamais il n'acceptera de se laisser imposer le silence.

Et vous toucherez au salut à partir du jour seulement où vous accepterez d'être vaincus par lui.

Vos espaces d'innocence

Vous vous obstinez depuis si longtemps à demeurer en deçà de votre désir.

Vous l'avez peut-être ignoré jusqu'ici, mais l'intensité de votre soif vous donne le vertige.

En vous, tout aspire à la plénitude et au débordement.

Le péché de votre vie aura été de ne pas prêter suffisamment d'attention aux espaces de virginité qui dorment dans les replis cachés de votre être, ces espaces qui sont le meilleur de la joie du Père.

Vos espaces d'innocence, vous les avez souvent touchés.

Par exemple, dans le spectacle si apaisant d'un enfant qui repose.

Quel sentiment de bien-être et de paix vous avez ressenti alors !

Or, ce qui vous a ainsi béatifiés, ce n'est pas le spectacle de l'enfant endormi, mais *bien votre propre innocence* que la vue de l'enfant endormi vous a permis de rejoindre et de toucher dans votre fond.

L'aumône de votre beauté

Le sacrilège de votre existence aura été de nourrir votre âme de biens que vous pouviez accumuler, alors que c'est votre richesse intérieure qui avait mission de déverser sur le monde son trop-plein de lumière, d'innocence et de beauté.

Allez-vous avoir pitié du monde aux prises avec sa laideur ?

Allez-vous enfin consentir à lui faire l'aumône de cette beauté qui fait le meilleur de la joie du Père ?

Comme l'enfant qui, si fragile qu'il soit, peut, tout en dormant, nourrir la joie de l'adulte et lui donner une raison de vivre, *l'innocence est capable d'enrichir ce qui est plus grand qu'elle.*

Quel mystère que le nôtre !

L'ATTENTION DU MONDE

Le climat le plus favorable

La vie de ceux qui vous entourent est caractérisée par un immense réseau de solitude.

L'enfant est constamment menacé au milieu de la famille éclatée.

Le jeune est angoissé par le non-sens d'une vie qui veut obéir aux seules lois de la consommation.

L'adulte s'épuise en vaines tentatives d'affirmation de soi.

Le vieillard sèche d'ennui dans son « mouroir ».

Or, la révolution par excellence, la voici : jamais contexte social n'aura été aussi favorable que le nôtre à l'éclosion des valeurs d'éternité dans notre monde et dans votre propre cœur.

La gloire de l'amour, ou la puissance ?

La crise est devenue trop aiguë : vous n'avez plus le choix.

Il faut vous tourner vers les valeurs qui ne passent pas.

À l'extérieur, tout est menacé.

À l'intérieur, vos espaces de lumière et de paix sont inviolables.

C'est votre grâce, aujourd'hui, d'être dans l'obligation de choisir le meilleur, l'essentiel.

Le simple convenable ne fait plus le poids : il vous faut déboucher dans l'héroïsme.

Les grands de la terre ont tout mis en œuvre pour sauver l'ordre du monde !

Mais l'écologie, la famille, l'économie, tout sombre dans l'irrespect et la violence.

Tout cela vous répète que la gloire de l'amour est plus grande que celle de l'intelligence et de la puissance.

LE RÊVE DE CHANGER LE MONDE

La première des urgences

Ce monde à l'envers, combien de fois avez-vous rêvé de le changer !

Pourtant, il est quelque chose de tellement plus important que de changer la face de notre monde, *c'est de changer votre propre cœur !*

QUEL SCANDALE !

Le salut du monde est dans la source que vous possédez au cœur de votre être et nulle part ailleurs !

Oserez-vous le croire ?

Le monde attend de pouvoir entrer dans votre source pour commencer à respirer enfin !

Mais il est bien clair que vous ne pourrez le laisser y entrer aussi longtemps que vous n'y serez pas entrés vous-mêmes.

Maîtres chez vous

Ce n'est qu'après avoir atteint le centre de votre mystère que vous serez en mesure d'éveiller les autres à la lumière qui les habite.

Chrétiennement parlant, vous ne pouvez atteindre et influencer le monde qu'après avoir atteint le fond de votre être de baptisés.

Si vos greniers sont en mesure de nourrir la joie éternelle du Père, il ne fait aucun doute qu'ils ont de quoi nourrir la soif des multitudes.

Et vous ne pourrez jamais mettre de l'ordre dans le monde avant le jour où vous serez entrés en possession de vous-mêmes, après être devenus maîtres chez vous !

Sinon, en voulant corriger le monde autour de vous, vous n'arriverez qu'à lui transmettre votre inquiétude et votre malaise.

La prison des hommes

Le monde demeurera indifférent aux valeurs du Royaume aussi longtemps que vous ne l'approcherez qu'avec votre intelligence et vos mains.

C'est là, vous le reconnaissez, la manière dont lui, le monde, atteint les personnes et les choses, en ayant sur elles une influence purement extérieure. Si vous l'atteignez vous-mêmes de cette manière, il ne pourra être éveillé qu'à ses propres dimensions, c'est-à-dire à sa prison.

Et il continuera de tourner indéfiniment en ses espaces vides et décevants.

Dispensateurs de libertés

Le malheur est que, si vous l'approchez ainsi, vous risquez de l'utiliser égoïstement plutôt que de le rendre à lui-même pour le meilleur de sa joie et, plus encore, pour le meilleur de la vôtre.

C'est ce qui saute aux yeux quand, tout au long de l'histoire, on voit se succéder les régimes politiques qui se font les défenseurs des droits de l'homme, et qui tournent si souvent à la violence, à l'irrespect des libertés et à l'oppression des faibles.

La vie vous est acquise, à vous les héritiers du Royaume, et les murs de Berlin finiront toujours par s'écrouler sous le poids de cette éternelle vérité qui dort dans le cœur de tous ceux qui ont été configurés au Christ ressuscité !

LE MONDE ET LE ROYAUME

Acceptation de l'amour offert

En vous, le mystère et le sacré exigent d'être approchés avec des outils respectueux de leur fragile beauté.

Le monde vise à l'efficacité, mais le Royaume vise d'abord à la transparence et à la simplicité.

Le monde a soif de s'affirmer et de vaincre ; le Royaume, lui, nous oblige à recevoir et à accepter gratuitement l'amour offert.

C'est là une différence énorme que, trop souvent, nous sommes tentés de passer sous silence.

LES GRANDS MOMENTS DE L'HISTOIRE

Naissance silencieuse

De mille manières, on vous a invités à combattre, à vaincre, à dominer.

Mais face à la vie, il vous faut apprendre à sacrifier vos initiatives pour vous livrer à une autre force, celle de l'amour qui, seule, peut vous donner naissance et vous accomplir.

C'est là pour vous un défi redoutable.

Quel paradoxe : pour vivre à plein, il vous faut renoncer à conduire votre vie !

Les grands moments de l'histoire du salut ne sont pas ceux où les humains sont intervenus avec générosité, mais ceux où, acculés à leur impasse, ils ont été rejoints par l'intervention miraculeuse de Dieu.

Il vous faut apprendre à *subir,* à faire taire votre action tapageuse et inquiète pour laisser toute la place en vous à l'action transformante de Dieu, à la naissance silencieuse.

Le scandale du mystère chrétien

À l'Annonciation, la Vierge « reçoit » le don de Dieu, et l'univers connaît le salut.

La « Fille de Sion » subit l'action de l'Esprit Saint.

Au moment de la Rédemption, le Christ est livré, impuissant, aux mains de ses ennemis : il « subit » sa Passion pour nous racheter.

Enfin, au matin de Pâques, le corps du Crucifié « est traversé » par le souffle de la Résurrection, pour notre vie.

L'Église est épouse, et elle ne peut devenir féconde qu'en recevant le don de Dieu.

C'est là que se cache tout le scandale du mystère chrétien, face à la volonté de puissance du monde.

Et c'est là aussi que bute notre manière trop humaine d'approcher Dieu.

Il est donc de toute première importance d'entrer dans le repos pour nous ouvrir à l'action souveraine de Dieu en nous.

Dieu agit et intervient dans l'inconnu de notre mystère.

Mais si vous n'entrez jamais dans votre mystère, vous ne pourrez jamais percevoir en vous cette action de Dieu, tout à la fois mystérieuse et comblante.

LOIS

Avec aisance et grâce

Quelque chose de bien étonnant se joue au fond de chacun de vous.

Il est une multitude de lois que vous ignorez, et c'est cette ignorance qui rend votre marche si difficile, alors que la vie, elle, n'est que célébration.

Il y a urgence à sortir de vos chemins pour emprunter ceux de la vie, qui ne sont qu'aisance et grâce.

Vivre de rien

On dit que les amoureux peuvent vivre d'amour et d'eau fraîche.

Or, la vie peut se passer même d'eau fraîche.

Elle est encore moins exigeante que l'amour humain.

Pour vivre avec une très grande intensité, il suffit d'infiniment peu de chose.

Le jeûne et la santé

La preuve est faite que votre cœur n'a pas été construit pour la conquête.

Dans l'abondance, il étouffe et s'endurcit.

Dans la multiplicité et l'éparpillement, il sèche et dépérit.

Il en est pour lui comme pour ce qui est de la santé, laquelle se maintient beaucoup mieux par le jeûne que par la surabondance de nourriture.

La vie est endormie au fond de vous

Votre intérieur est soumis à la même loi que votre organisme : le silence lui est beaucoup plus favorable et nourrissant que la multitude des idées et des éclairages.

Vous n'avez pas à conquérir la vie, mais à vous dégager de tous les inutiles soucis pour découvrir que la vie est là, endormie depuis toujours, au fond de votre cœur inquiet.

Un peu d'eau vive

Vous a-t-elle déjà soufflé son message, non pas à l'oreille mais au cœur ?

Soyez-en bien sûrs, vous avez déjà été touchés, et à maintes reprises, par cette main soyeuse de la vie, mais vous n'avez pas toujours su reconnaître la nourriture dont vous pouviez avoir besoin.

SCEPTICISME

Voici le dilemme : entrer dans le courant le plus fort, celui de Dieu qui m'appelle vers la croissance, ou suivre le mien qui me fait tourner sans fin dans mes impasses.

Vous êtes sceptiques quand je vous parle de tout ce que la vie est capable de réaliser en vous à si peu de frais.

Quand je vous dis que vous n'avez pas à conquérir la vie.

Quand je vous dis qu'elle est là, endormie comme un enfant au cœur de votre être, pour votre béatitude et votre paix.

Quand je vous dis que vous n'avez qu'à reconnaître sa présence en vous pour vous voir emportés dans la profondeur et le calme de ses eaux.

Vous hésitez à croire à la possibilité d'un pareil miracle : celui de vous voir enveloppés soudain dans un océan de lumière et de beauté, au moment même où votre conscience vous accable de ses reproches.

Prêterez-vous une minute d'attention à ce quelque chose qui pleure, quelque part en vous ?

Sous la pluie froide

Soyez bien attentifs au pommier de votre jardin : durant tout l'hiver, son bois gelé et ses branches dégarnies laissaient croire qu'il était enfermé à tout jamais dans la mort.

Cependant, quelques mois plus tard, il est devenu tout en fleur, plein d'arôme et de couleurs, prometteur de fruits mûrs pour votre joie.

Vous étiez-vous rendu compte que l'hiver durait depuis trop longtemps ?

Comme un enfant constamment maltraité, votre cœur a peur de vous avouer sa peine : il risquerait de se faire gronder.

Tant de fois, par votre attitude, vous lui avez signifié de se taire !

Survivre au milieu de la compétition

La vie ne vous a pas encore révélé tous ses secrets !

Il faut vous habituer *à la fécondité miraculeuse comme à une chose normale.*

Est-ce que cela vous étonnerait si, un jour, le monde venait soudainement à vous pour vous remercier en disant : « Ta lumière et ta beauté ont nourri la multitude d'humains que nous formons. »

Voyez comme votre cœur a besoin de se voir apprivoisé à sa propre fécondité !

Vous avez un grand besoin de vous voir initiés à ses lois si faciles, vous qui, depuis toujours, êtes dans la constante obligation de livrer bataille pour survivre au milieu de la compétition.

Comme un jeu

Face aux surprises de la vie et à sa totale gratuité, vous serez toujours comme l'armée de savants que la Nasa a réunis et qui, à coups de milliards, travaillent à inventer des instruments plus perfectionnés les uns que les autres.

Au milieu d'eux survient tout à coup une adolescente qui leur dit : « Quel labeur immense vous vous imposez, messieurs les savants !

« Voyez, moi, je puis vous faire un petit enfant, un tout petit, tiède et souple, doué d'intelligence, et qui va vous sourire avec grâce pour détendre vos traits crispés.

« Moi, en riant et en m'amusant, je puis réaliser cette performance à laquelle vous n'atteindrez jamais avec tous vos efforts et tous vos milliards. »

C'est là votre histoire à tous !

L'insatisfaisant est très coûteux

Il en est de même pour chacun de vous aujourd'hui.

Il y a si longtemps que vous attendez de vos efforts ce que, depuis toujours, la vie vous offre de façon absolument gratuite.

L'essentiel et le plus comblant pour vous, cela existe à profusion, toujours et partout.

Seuls le secondaire et l'insatisfaisant sont difficiles à acquérir et à conserver, comme l'argent, le pouvoir, le plaisir.

Mais l'essentiel et l'absolu sont comme l'air que vous respirez et dont vous ne pouvez pas vous passer.

Vous les rencontrez partout, ils vous enveloppent, sans que vous ayez à en faire des réserves.

La grâce et la loi

Il ne doit y avoir rien de volontaire dans la quête de l'essentiel.

La loi vous a toujours demandé d'être fidèles et généreux, de vous dévouer sans merci pour les autres, mais il en va autrement pour la grâce.

Confesser devant l'amour que vous êtes pauvres et incapables d'aimer véritablement, voilà ce à quoi vous invite la grâce.

C'est là tout ce qu'exige la vie pour vous combler.

La béatitude des larmes

Comme il est simple de « vivre » !

Mais, en même temps, qui de vous se sent prêt à entrer à plein dans le peu que vous demande la vie ?

Qui de vous osera croire que la gratuité de l'amour est plus rentable et plus avantageuse que vos pauvres efforts ?

Pour atteindre jusqu'au seuil de la vie, vous devez être introduits dans la béatitude des larmes, là où le cœur peut enfin se laisser envelopper dans l'infini de la consolation.

Droit de parole

Comment votre inguérissable pauvreté pourra-t-elle accepter une telle aumône de la part de la vie ?

Vous avez été habitués à tout gagner et à tout mériter.

Comment arriverez-vous à tout accepter après avoir tout gâché sur vos parcours ?

Prenez bien garde ; ce ne sont pas vos efforts ni votre intelligence qui vont vous amener à découvrir la richesse et la beauté de votre vie, mais la douceur et la bonté !

Dites-moi, avec quoi jusqu'ici avez-vous nourri votre cœur ?

Lui avez-vous, une fois dans votre vie, donné la liberté de parole pour exprimer ce que, depuis si longtemps, il rêve de vous dire ?

À LA RACINE DU BONHEUR [1]

Remises en question

Tous tant que nous sommes, nous avons peur de la lumière, de cette lumière que nous cherchons pourtant avec tellement d'intensité.

Dès que la lumière ou le bonheur que nous convoitons dépassent les normes habituelles, l'angoisse nous saisit.

Nous sentons que nous avons perdu la maîtrise de la situation.

Et cette crainte qui surgit en nous ne vient pas de l'appréhension du prix à payer en retour de la lumière, mais de la lumière elle-même.

Êtes-vous bien sûrs d'être disposés à accueillir un éclairage sur la vie?

Il est téméraire d'approcher la vie de trop près.

Si vous le faites, vous risquez d'assister au bouleversement de toutes vos valeurs.

---

[1] Ce chapitre a été donné sous forme de conférence à Montréal, au Congrès international de psychiatrie transculturelle qui avait pour thème: «Le processus de guérison: par-delà la souffrance ou la mort» (21, 22, 23 juin 1993).

À distance de l'amour

Étant donné qu'il existe une seule lumière, celle de l'amour, c'est de l'amour que je vous parlerai.

Paradoxe : celui qui va traiter de l'amour humain, c'est un moine qui, depuis quarante-deux ans, vit dans un monastère, un être qui n'a jamais fait l'expérience de ce dont il veut vous entretenir.

C'est qu'on ne voit bien une réalité qu'en prenant ses distances par rapport à elle.

Vous pouvez contempler le fleuve non quand vous êtes immergés dans ses eaux, mais quand vous vous tenez debout sur la rive.

Sur l'amour, j'ai deux choses à vous dire.

La première, c'est que le bonheur de la rencontre amoureuse n'est pas ce que vous pensez.

La deuxième, que je désire développer un peu plus longuement, c'est que l'amour vous oblige à entrer les yeux fermés dans l'inconnu, le seul endroit où votre cœur peut trouver l'oxygène dont il a besoin.

VIVRE, C'EST ÊTRE RENDU À SOI-MÊME

Renvoyés à nous-mêmes

Il y a des choses bien bizarres auxquelles nous prenons rarement la peine de nous arrêter.

Lorsque vous rencontrez le grand amour, vous êtes soudain traversés par le bonheur.

Saviez-vous que ce bonheur est un leurre, une fausse représentation ?

Le bonheur éprouvé dans cette expérience ne vient pas, comme vous le pensez fort probablement, de l'amour dont vous êtes enveloppés.

Ce qui se passe alors, c'est que l'intensité du regard posé sur vous vous révèle votre richesse d'être.

Votre bonheur découle de ce que vous êtes rendus à vous-mêmes.

L'amour passion, dans ce qu'il a de plus authentique, opère ce miracle de rendre la personne à elle-même.

Un jour, un regard s'arrête sur vous.

Il est si vrai quand il vous laisse entendre qu'il a découvert l'infini en vous apercevant !

Il vous oblige à croire que vous avez plus de prix à vous seul que tout le reste de l'univers.

L'intensité et la vérité du regard de l'amour vous révèlent la richesse de votre capital intérieur.

L'objectif unique : « toi »

Il n'y a qu'UN bonheur, qui est de demeurer assis au fond de soi, et non de connaître le grand amour.

Vous n'êtes pas conscients que le bien toujours cherché, ce n'est pas l'amour, mais l'expérience béatifiante d'être enfin rendus à vous-mêmes.

L'amour n'a jamais été qu'un simple outil vous permettant d'atteindre à cette fin.

Il est bouleversant de penser qu'aucune personne ici n'aurait besoin d'amour si elle était établie au fond d'elle-même.

Entrer chez vous et y demeurer à jamais est l'unique bonheur que vous poursuivez, et c'est aussi le seul qui puisse vous rassasier.

Vous n'avez jamais désiré la rencontre amoureuse pour elle-même, mais uniquement comme chemin d'accès à votre mystère.

Et vous n'avez jamais connu d'autre bonheur que celui d'être pleinement vous-mêmes !

Il n'y a à cela aucun désordre.

Ce qu'un regard superficiel pourrait qualifier d'égoïsme est, en fait, la vérité la plus profonde et l'ordre définitif auquel chacun doit atteindre.

L'égoïsme au sens où nous l'entendons, comme valeur négative, consiste à rechercher pour soi de faux bonheurs qui nous détruisent; à satisfaire nos caprices au détriment d'un bonheur plein et durable.

Le mal de l'égoïsme consiste à choisir un bonheur qui n'est pas assez riche et comblant.

« *L'égoïsme de l'être* », lui, vous est non seulement permis, mais il est la seule mission qui vous a jamais été confiée, toutes les autres n'étant là que pour vous conduire à vous-mêmes, à commencer par l'amour.

Quand tu n'auras plus besoin de l'amour

Vous ne pourrez toucher la paix qu'au jour où vous n'aurez plus besoin de la rencontre amoureuse pour entrer au fond de votre gloire.

La vie n'est que paradoxe.

Vous ne pouvez aimer qu'au moment où vous n'avez plus besoin de l'amour.

À ce moment-là, vous n'aimez plus en esclaves, c'est-à-dire parce que vous avez « besoin » de l'autre, mais parce que vous avez appris à aimer par « débordement ».

C'est la seule manière d'aimer qui soit véritablement humaine et qui, parce qu'elle est profondément vraie, est à même de vous rassasier le cœur et l'âme.

En fait, il n'y a que les mystiques qui pourraient vivre l'amour passion dans toute sa richesse et sa beauté, précisément parce qu'ils n'en ont plus « besoin ».

Ils sont nourris surabondamment par leur propre source, ce qui explique le célibat rencontré dans toutes les formes de monachisme.

VIVRE, C'EST RISQUER

Confiance en l'inconnu

L'amour humain place les intéressés devant l'obligation de faire confiance à l'inconnu.

Je ne puis être sûr ni de moi ni de l'autre.

Dans la rencontre amoureuse, l'impossibilité où se trouve toute personne de construire sur des certitudes et des garanties pour l'avenir est l'élément le plus important de l'enjeu.

Il se situe avant même le bonheur de la rencontre.

C'est là une école éminente où le cœur apprend à vivre sa loi propre : faire confiance à l'inconnu.

L'inconnu, ici, c'est le cœur de l'autre et aussi mon propre cœur.

La nature m'accule à mettre ma confiance en ce que j'ignore de l'autre et de moi.

Tarir les joies essentielles

L'amour humain – et l'amitié plus encore – m'impose de « créer » l'autre, et de le « créer » bon.

La nature m'oblige à mettre le meilleur de ma joie à tout attendre de l'autre, à construire mon bonheur sur ce que je ne connais pas de l'autre.

C'est là le fond de l'expérience humaine.

Je suis invité à prouver à l'autre par ma paisible et joyeuse expectative que son mystère est inépuisable et ne me réserve que des surprises heureuses, au-delà des inévitables divergences et des continuelles déceptions qui accompagnent toute vie à deux.

Mépriser le mystère

Baser la viabilité d'un amour sur le vécu quotidien au lieu de l'asseoir sur l'inconnu qui vient, c'est aller à contre-courant du mouvement de la nature.

Cette attitude risque de tarir le jaillissement des joies essentielles de l'amour, parce qu'on bloque ainsi le chemin de la surprise et de la révélation dans le ciment immuable des connaissances acquises sur l'autre.

C'est jeter dans l'ombre la plus belle partie de l'être qu'on prétend aimer, c'est renier son mystère en même temps que se priver du meilleur de la joie.

Une personne ne s'évalue pas comme un outil quelconque, lequel, parce qu'il est sans mystère, peut être mis à l'essai.

La profondeur du regard porté sur l'autre et la naïveté de la joie attendue nous plongent dans le même registre que celui de l'enfant, de l'enfant qui nous captive, nous bouleverse et nous rejoint avec tant de force *et de consolation.*

Si l'amour humain était ainsi fait qu'il impliquerait la certitude de durer toujours et de devenir de plus en plus comblant, il perdrait, par le fait même, le nerf de sa vitalité.

Je me verrais privé du bonheur de pouvoir dire à l'autre que son mystère est plus riche que sa réalité sociale, psychologique ou culturelle.

Et l'autre se verrait privé du bonheur inexplicable qu'il y a à se voir deviné et rendu à soi-même sous la persistance du regard de l'amour.

L'amour humain est un acte de foi dans l'inconnu!

Aimer l'autre, c'est le créer chaque instant de sa vie en le renvoyant à la richesse de son mystère.

Si bien que l'amour n'est pas fait pour combler celui qui le vit, mais pour l'aider à découvrir le bonheur inégalable qu'il y a à donner naissance à l'autre en le ramenant constamment à son mystère et à sa gloire.

Les yeux fermés

De même que, dans l'amour physique, le plaisir ouvre à une éventuelle naissance, en même temps qu'il cimente la vie du couple, le bonheur éprouvé par ceux qui s'aiment existe pour mettre en place l'activité première du cœur, celle de fermer les yeux pour s'abandonner à une force inconnue, et amener ainsi au jour le meilleur de l'autre.

C'est à ce moment-là seulement que le cœur peut commencer à vivre.

Comme s'il ne pouvait le faire que les yeux fermés, dans la pleine confiance.

Cette attitude est le propre de ceux qui ont pris contact avec un autre registre de lois, celles de la vie et du cœur.

Alors, et à cette condition, notre liberté peut enfin sortir de ses entraves.

Qui aurait pu le soupçonner ?

Les humains que nous sommes sont des « machines » construites pour avancer les yeux fermés !

Et aussi longtemps que nous cheminons dans la vie les yeux grands ouverts, en exigeant de voir clair, nous nous donnons en cela la preuve que nous n'avons encore « rien vu ni connu » !

Dans cette perspective, *le mariage à l'essai* est une contradiction dans les termes.

Dans le couple, pour qu'il y ait assurance en l'avenir, il importe moins de bien connaître l'autre et de faire au préalable l'expérience d'une possible vie en harmonie que de se bien connaître soi-même, de faire appel à sa générosité.

Aimer l'autre ou l'utiliser

Au-delà d'une certaine vérification normale et habituelle, l'exigence d'une plus grande sécurité dans l'amour se tourne en poison et en mort.

Elle tue ce qu'elle veut effectivement protéger.

En amour, rien n'est assuré, et rien ne peut être sûr, et rien ne doit être certain.

À supposer que, par l'expérience de la cohabitation, on puisse atteindre la certitude que l'avenir ne nous réserve pas de mauvaises surprises, on peut laisser aller les choses : on est dispensé d'enfanter l'autre tout au long de son existence, ce qui est le sommet de la joie.

C'est sur la générosité d'un continuel enfantement de l'autre que repose la réussite.

Et, de surcroît, le couple qui se refuse à donner la vie biologique de même que les individus qui optent pour l'avortement deviennent l'incarnation du refus d'aimer, de s'oublier pour que naisse l'autre.

Dans ce cas, on n'aime pas le conjoint, on l'« utilise » égoïstement.

L'heure où le cadre doit céder

Il est bien surprenant de constater que ce qui est exigé de ceux qui vivent l'amour recoupe exactement ce qui nous est demandé dans la foi.

Dans l'amour humain, la sécurité et l'assurance sont l'équivalent de ce qu'était la loi pour les Pharisiens et de ce qu'est le dogme pour les intégristes.

Dans nos vies, quand il y a toute la gamme des certitudes et des idées claires, il n'y a plus d'espace pour le miracle et l'invention : nous sommes aux portes de la mort.

Tout comme l'enfant, la vie a besoin d'un encadrement, mais il s'agit de savoir à quel moment le cadre menace d'étouffer, quand les souliers commencent à être trop étroits pour les pieds de l'enfant.

Si notre cœur n'est pas déformé par la peur, il nous dira à quel tournant il convient de sortir des vieilles outres.

L'élément déclencheur du miracle

Dans l'amour humain, l'absence de certitudes oblige le cœur à miser uniquement sur la confiance, et cette foi en l'autre devient le plus important des éléments en jeu.

La loi qui se cache sous l'impossibilité où nous sommes d'asseoir l'avenir sur des bases immuables est celle-ci : il est bien secondaire de savoir si l'inconnu me réserve d'heureuses surprises ou de pénibles déconvenues.

La chose primordiale est que mon cœur soit assez vivant et rempli de générosité pour se révéler imperméable au doute.

L'amour, avec l'exigence de ses incertitudes, n'est là que pour contraindre à percer l'inconnu et à tout attendre de lui.

L'amour avance avec une seule assurance : l'impossible dort au cœur de l'autre !

Et c'est uniquement l'intensité de ma confiance aveugle en l'autre qui est l'irrésistible déclencheur du miracle caché, en même temps que cette confiance est pour moi la dernière des béatitudes.

En donnant naissance à ce qu'il y a de plus beau dans celui qui partage ma vie, je découvre par surcroît de quelle manière mon cœur exige de fonctionner.

Pour un cœur bon, l'inconnu ne peut être que plein de bonté ;
l'inconnu ne peut être autre chose qu'un océan de bonté ;
l'inconnu n'est que bienveillance envers moi.

La joie pure en l'absence de certitudes

C'est pour nous conduire à cela que la nature nous enlève la certitude, celle que nous cherchons constamment, aussi longtemps que nous n'avons pas appris ce que c'était que de vivre.

C'est dans le dépouillement que le cœur apprend à être lui-même.

Obliger la vie à me fournir des certitudes quand elle juge bon de ne pas m'en donner, c'est davantage me manquer de fidélité que ne pas la respecter.

Sans aucun raisonnement, sans une certitude, le miracle éclôt: s'installent alors une assurance sans bornes en même temps qu'une joie dont la qualité ne se mesure pas.

Suicidé avant la lettre

Notre cœur n'exige pas de voir ni de savoir: il ne vit qu'en faisant confiance, comme un enfant.

Ainsi vit l'enfant entouré d'amour vrai, et c'est ainsi qu'il nous comble au-delà de nos attentes, comme un miracle inexplicable.

La personne qui exige de tout voir et de tout vérifier trahit son fond, celui d'un être incapable d'amour et de générosité, se refusant à toute forme de risque et préférant se durcir dans ses chemins droits, au lieu de se plier aux charmes du sentier où mûrissent les fruits sauvages et où courent les écureuils en liberté.

Un « suicidé » avant la lettre!

Objection: « Mais, dira-t-on, n'ayant pas la connaissance d'eux-mêmes, les jeunes ne pourraient-ils pas être autorisés à ce genre d'approche qu'est le mariage à l'essai, si imparfait soit-il? »

Réponse: « Le mariage à l'essai *les enferme dans le refus du risque*, là où ils sont menacés de stagnation, tout comme celui qui mise sur la sécurité que lui donne l'observance de la loi et qui meurt dans ‹ sa fidélité ›. »

Quel renversement des valeurs!

Pour être plus près de la vie, on se serre contre la loi, et cette loi nous enchaîne dans la mort.

Tôt ou tard, les exigences de dépassement de la vie à deux viendront les mettre à l'épreuve et leur demander de suppléer aux imprévus par un investissement plus poussé d'eux-mêmes dans le don.

Vouloir des garanties, c'est refuser d'évoluer.

Mais, de cela, nous ne pouvons persuader ceux qui en sont là.

La souffrance se chargera de les conduire à plus de lucidité.

S'il est bon de mettre en lumière ces lois qui régissent notre être profond, c'est seulement pour mieux comprendre ce que nous savons déjà.

Et chez ceux qui se refusent au risque, le fait de connaître les lois n'augmentera pas la générosité.

Le bonheur mesuré par l'exigence

Ce n'est pas en expérimentant tous les possibles qu'on arrive à la vérité.

C'est là une irréalisable prétention.

Si nous suivons jusqu'au bout cette logique du mariage à l'essai, nous devons nous abstenir de nous engager avant d'avoir sondé le terrain avec tous les partenaires que nous connaissons et que nous sommes susceptible de connaître pendant notre vie, car si nous allions nous rendre compte au bout de quelques années qu'un autre – survenu sur notre route – est bien plus apte à répondre à nos attentes que la personne rencontrée jadis, l'essai en question se révélerait avoir été inopérant.

L'important n'est pas d'abord de choisir le meilleur, mais de savoir tirer avantage et profit de la rencontre que je vis aujourd'hui.

C'est l'intuition qui nous guide, et le défi commence en acceptant « prudemment » le risque.

En amour, l'incertitude devant l'avenir demande moins une accumulation des garanties que l'apprentissage à me vider le cœur pour le service et l'accomplissement de l'autre.

L'amour vrai ne peut vivre qu'en état de continuelle immolation.

Il requiert la plus grande de toutes les générosités, et c'est pourquoi il est capable des plus grandes joies.

Rêver de diminuer ses réclamations, c'est le tarir comme source de bonheur.

L'amour est aussi exigeant qu'il est comblant.

Il m'oblige à me saigner sans retour.

Et c'est dans cette limite qu'il peut engendrer tout le bonheur dont il est capable.

Le cœur ainsi armé ne sera jamais déçu de l'autre ni de lui-même.

Il pourra toujours se donner et tirera de ce don le meilleur de sa joie.

Tu te coupes de l'oxygène du cœur

On peut aujourd'hui gémir sur l'instabilité de l'amour et trembler à la pensée que l'union envisagée est sujette à toutes ces menaces qui minent déjà les plus belles tentatives, mais si je base la stabilité de mon bonheur non pas sur l'équilibre du contexte social, mais avant tout sur la générosité du cœur face aux éventuelles épreuves, je puis encore construire mon amour sur du « béton armé ».

Un amour vrai peut subsister jusqu'au-delà de l'échec et du divorce.

Ce n'est pas en vain que la vie se refuse à te fournir les certitudes que tu voudrais exiger d'elle.

Quand tu l'obliges à te les fournir, tu lui fais la plus grande des violences.

C'est ta mort que tu appelles à ce moment-là.

Tu choisis de tuer la vie.

Tu te coupes de l'oxygène du cœur.

La vérification qui tourne au poison

Ce que l'on cherche dans le mariage à l'essai est déjà contenu, et de façon éminente, dans le regard intuitif de l'amour.

C'est cette invraisemblable puissance de discernement qu'il s'agit d'exploiter plutôt que de demander au «temps» de suppléer à ce que nous aurions négligé d'accomplir, et qui était de notre ressort ainsi qu'en notre pouvoir: créer l'autre et, en le créant, atteindre à la plus haute forme de bonheur et de fécondité.

Le mariage à l'essai est moins une mesure prudente pour éclairer l'avenir que l'illustration du fait que deux êtres ne sont pas encore mûrs pour relever les défis de la vie commune.

Ils sont démunis et sans armes contre les imprévus de la vie.

Dans leur tentative de vie commune, ils n'auront atteint l'évidence que de ce qu'ils auront pu expérimenter, alors que la vie est tissée de surprises auxquelles il faut continuellement s'adapter.

Dans ce cas, même si la cohabitation s'avère possible et relativement comblante, elle ne tient pas d'abord à l'amour, mais à un miracle de circonstances, circonstances qui risquent de faire défaut à tout moment et dont le manque laisserait les intéressés en panne sèche, puisqu'ils n'auraient jamais su développer les ressources pouvant leur permettre de surmonter les difficultés inhérentes à la vie commune, le mariage à l'essai étant un refus du risque.

La base de leur cohabitation, c'est le caractère «conditionnel» de leur état.

Si cet état de choses est tout à fait normal et même souhaitable quand il s'agit de compétence professionnelle, il se tourne en poison quand il y va de l'amour.

On s'habitue à vivre avec des «conditions».

Ainsi, la durée est indéterminée et elle devrait persister *aussi longtemps* que des obstacles réels et majeurs ne viendront pas démontrer la faiblesse ou l'absence de la générosité, l'amour étant don de tout soi-même.

Si ces obstacles ne se présentent pas, l'expérience en question ne sera pas plus avancée après des années : elle n'aura rien prouvé.

Si, au contraire, les obstacles surviennent pendant la période d'essai, prenons par exemple le cas de l'infidélité – l'un des deux tombe en amour avec une tierce personne –, si le coupable rompt cette nouvelle liaison et revient à la maison, rien ne prouve qu'il ne répétera pas son erreur et ne poursuivra pas une fois qu'ils se seront engagés pour toute la vie.

Se renforcer, ou diminuer les obstacles

On ne se marie pas après avoir fait la preuve que la vie de couple sera sans déconvenues majeures, mais on se marie précisément pour développer les ressources permettant d'affronter les difficultés partout présentes, sans cesse renaissantes, et toujours imprévisibles.

Agir dans l'ordre de l'amour humain comme on le fait quand il s'agit d'embaucher un technicien de laboratoire, c'est réduire l'amour à une simple donnée fonctionnelle.

C'est lui enlever le meilleur de son mystère.

C'est une profanation et un sacrilège.

Le mariage à l'essai est l'équivalent de ce qui se passe dans l'ordre médical : la personne en santé n'est pas celle qui a trouvé un milieu où il n'existe aucun microbe la menaçant d'infection, mais celle qui jouit d'un système immunitaire capable de produire les anticorps susceptibles de combattre les agents nuisibles, de nature à la contaminer.

L'amour humain et la foi

C'est dans ce sens que l'amour humain est choisi par Dieu comme image de la relation qui doit exister entre lui et nous.

Il est surprenant de constater à quel point les lois qui régissent le mystère de l'amour humain se rapprochent de celles qui président au monde de la foi.

La confiance aveugle est la norme exigée pour la pleine relation, et cette exigence n'est pas arbitraire de la part de Dieu : c'est le mode de connaissance le plus profond et le plus comblant, parce que le fond de notre être est apte à percevoir quelque chose dont la saisie échappera toujours à notre conscience.

Celle-ci est dépassée par cet objet, il échappe à son emprise.

Obliger notre conscience et notre raison à se laisser conduire par cette force inconnue qui est à notre disposition est l'éducation à laquelle nous soumet la foi.

Sans cela, nous demeurons des incultes, des êtres qui ne développeront jamais leurs richesses et leurs facultés les plus spirituelles, les seules capables de nous rassasier le cœur.

La foi ne donne pas de certitude.

Elle dit seulement : « Oui, oui, fais confiance à la voix de ton mystère qui t'appelle à quelque chose de plus.

Ose croire et tu vas vivre à plein.

Respecte le plus beau et le plus satisfaisant de toi-même. »

Les espaces réservés du cœur

Dans un cas comme dans l'autre, la confiance aveugle est exigée.

La seule forme d'assurance qui peut s'y trouver est de « provoquer » l'inconnu à tel point et de telle façon que nous l'obligeons pour ainsi dire à se dépasser en notre faveur.

C'est découvrir avec émerveillement que nous sommes capables de miracle !

C'est en cela que consistent la force de l'amour et la puissance de la foi.

Découvrir au fond de soi l'existence de ce pouvoir inouï est le sommet de toute expérience et le comble de toute béatitude.

Ce n'est que dans ces espaces « réservés » que notre cœur est à même de respirer.

Le délire

Un jour, j'ai pris le parti d'opter pour la naïveté.

Je me suis dit qu'il n'y a que l'amour :
l'amour qui ne tient pas compte du mal,
l'amour qui ne se laisse pas influencer par les mérites,
l'amour qui ne prête attention qu'à l'enfance et qui répond à la confiance.

Ma « raison » a protesté en disant que je choisissais de construire toute ma vie sur une « illusion ».

Sachant que je ne pourrais jamais la convertir à ma folie, je lui ai donné la permission de contester en exigeant toutefois qu'elle me laisse libre de poursuivre mon chemin.

Et voici : j'ai eu part à la fête alors que je n'y étais pas préparé.

J'ai tout reçu sans avoir rien mérité.

C'est ma seule présence qui a fait éclater la noce.

À partir de ce jour, ma personne a eu plus d'importance que tout le reste de l'humanité.

On m'avait bien parlé de l'Orient avec sa loi du « karma » et la nécessité de la « réincarnation ».

En Occident, on m'avait enseigné l'équivalent avec les notions de « jugement » et de « purgatoire ».

Et voilà que, sans y être disposé et sans en être digne, j'ai reçu la toute première place, avant ceux-là mêmes qui avaient les mains pleines du blé qu'ils avaient ramassé.

L'amour avait suppléé à toutes mes déficiences, l'amour avait tout réparé de ce que j'avais brisé au long de mes parcours, l'amour m'avait rendu semblable à lui.

Je me suis dit alors : où donc pourrai-je trouver des êtres aussi pauvres et endettés que moi pour les offrir à la grandeur de l'amour, afin qu'il n'y ait plus que de la beauté partout ?

Je le sais, le monde est rempli de laideurs et de violences, et mon propre cœur est capable de toutes les trahisons, mais qu'importe si l'amour, en noyant toutes choses en lui, peut les revêtir de sa propre beauté ?

Qu'importent les souffrances qui labourent la face du monde et celles qui déchirent mes propres entrailles, si l'amour peut leur conférer une si étonnante grandeur que j'en arrive à désirer rejoindre tous ceux qui gémissent, afin d'avoir part à leur gloire au lieu de m'agiter pour les arracher à leur état ?

Aux yeux de l'amour, en effet, la souffrance est moins une situation d'où il s'agit de sortir qu'un état où se burine la splendeur de la vérité.

J'ai donné naissance à l'amour

J'avais cherché partout des preuves de l'existence de Dieu.

Aucune n'avait pu me convaincre.

Un jour, j'ai surpris la soif de vivre qui me torturait le cœur et j'ai dit : *L'amour existe parce que mon cœur l'appelle.*

C'est depuis ce moment que l'amour se doit d'exister.

Mon cœur était le seul à pouvoir lui donner naissance.

J'avais cherché partout ses traces : il dormait au fond de moi.

Il était trop près de moi pour que je puisse l'apercevoir.

Parce que j'avais été regardé par lui, j'étais devenu semblable à lui.

LE DRAME DE LA SOUFFRANCE
ET LES MIRACLES DE LA NAÏVETÉ [1]

Par ignorance, ou par surabondance?

Il vous arrive parfois de marcher derrière une personne handicapée qui ne peut avancer qu'au prix d'un effort pénible.

Vous vous surprenez alors à fournir des efforts semblables aux siens, comme pour aider ses mouvements.

La souffrance des autres vient nous chercher, même à notre insu.

Par contre, j'ai vu un tout jeune enfant qui en était à son premier exercice avec sa cuillère.

Après l'avoir plongée dans son bol, il la remontait à la verticale, insouciant du contenu qui se répandait sur son avant-bras et sur la table.

En plein exercice, il m'a regardé avec un large sourire qui laissait entendre qu'à ses yeux l'opération était parfaitement réussie.

---

[1] Ce chapitre a été donné sous forme de conférence à Montréal, au Congrès international de psychiatrie transculturelle qui avait pour thème: «Le processus de guérison: par-delà la souffrance ou la mort» (21, 22, 23 juin 1993).

Bien loin de provoquer chez moi le malaise, ce spectacle me donnait une joie débordante qui me poussait à embrasser le tout-petit.

C'est par ignorance et naïveté que l'enfant peut sourire au milieu des dégâts qu'il engendre.

C'est par surabondance de vie qu'il nous faut parvenir à une attitude analogue devant toutes les formes de désordre que nous causons ou subissons.

Atteindre jusqu'à l'harmonie cachée

Saviez-vous qu'il y a pour nous une manière d'entrer dans le désordre de façon à lui faire produire un fruit nettement supérieur en qualité à celui que pourrait fournir le simple maintien de l'ordre ?

À cet effet, il faut pénétrer au-delà de la surface tourmentée des choses pour atteindre *jusqu'à l'harmonie cachée* qui dort, silencieuse, au fond de tout bouleversement.

Il faut apprendre à nous nourrir de lumière et de beauté, là où un regard inattentif se retrouve devant une situation qu'il importe d'abord de corriger.

Nous laisser déconcerter par les situations de mort, c'est donner la preuve que la main de la vie n'a jamais passé dans notre champ.

Me laisser émouvoir par le désordre qui m'entoure et, plus encore, par celui qui m'habite sans que je le vive comme l'annonce d'une naissance, c'est imiter le paysan qui refuse de labourer sa terre.

Un sol jamais déchiré par la charrue et jamais mâché par les dents de la herse est condamné à demeurer improductif.

Il y a une joie plus grande à bêcher notre jardin au printemps qu'il n'y en a à récolter ses fruits à l'automne.

Gérer le désordre de l'intérieur

Si le désordre n'était là que pour nous stimuler dans notre recherche de valeurs supérieures ?

Nous n'avons pas le choix, le désordre nous cerne du dehors et il surgit de notre intérieur.

Nous limiter à n'intervenir que par l'extérieur en sanctionnant à la manière de la police, ou en nous satisfaisant de remettre en fonction ce qui a été disloqué, c'est nous dérober à notre responsabilité de « vivants ».

Nous avons reçu la mission de gérer notre vie et notre mort, de gérer aussi la vie et la mort des autres, *et surtout de le faire non pas en dominant les situations, mais en y coulant tout notre être pour les informer du poids de notre densité.*

Entre les mains de l'inconnu

Quel défi que de devoir nous offrir, totalement abandonnés aux mains de l'inconnu, au moment où, dans une situation menaçante, toute notre personne veut se raidir et se crisper pour se défendre contre ce qui risque de nous écraser ;

que de consentir à glisser dans le désordre à la minute où il importe plus que jamais d'éviter le moindre faux pas qui pourrait nous être fatal ;

que d'accepter de ne rien retenir à l'instant où tout va nous échapper !

Chose impossible, bien sûr, si nous n'avons pas compris que la mort n'est rien d'autre qu'un appel à entrer plus avant dans la liberté.

Pour nous, il n'y a qu'un chemin : c'est en devenant plus « vivants » que nous pourrons trouver une solution au problème de la souffrance et de la mort.

C'est par notre densité d'être, et non par nos interventions, que nous pourrons contrebalancer le mal de la souffrance et de la mort, qui pèse sur nous et sur l'humanité.

L'impasse de la mort n'a qu'une raison d'être, nous jeter au cœur de la vie.

Il n'y a qu'un moyen de lutter contre la mort, c'est de la laisser remplir son véritable rôle.

Le ciel m'est apparu dans le regard de mon enfant

Ici, il ne s'agit pas seulement de prêter plus d'attention aux côtés positifs des choses en essayant d'en minimiser les aspects négatifs.

Ma visée porte beaucoup plus loin.

Nous disposons d'un pouvoir de transformation du réel qui tient du miracle.

Un miracle qui, cependant, n'a rien à voir avec la volonté de puissance, laquelle rêve de maîtriser les éléments.

Bien au contraire, dans le combat de la vie, tout ne doit être que docilité et acceptation.

Je vais essayer de me faire comprendre au moyen d'une parabole.

En fait, il s'agit d'un événement vécu qui, dans son apparente banalité, peut révolutionner totalement notre façon de voir, si nous y sommes attentifs.

Par une splendide journée de juillet, le petit Jean, six ans, part à l'aventure avec ses deux amies d'à côté, des jumelles de cinq ans.

Les enfants s'arrêtent au bord d'un étang que le soleil a en partie desséché, en y laissant une épaisse couche de limon, tiède et doux comme du velours.

Les petits y enfoncent leurs pieds, puis leurs mains.

On s'amuse et on revient enfin à la maison, mais dans quel état!

Le linge propre du lundi matin n'a pas fait longue route!

En apercevant de loin le spectacle, la mère ne fait qu'un bond : elle se retrouve sur le seuil, armée du discours de circonstance.

Une force l'arrête soudain. Un mouvement de folie monte en elle et, s'adressant aux enfants, elle leur demande : « Vous êtes-vous bien amusés ? Avez-vous eu beaucoup de plaisir ? »

Cette jeune femme devait confesser plus tard avoir vu passer dans le regard de son enfant une lumière si belle qu'elle en emportera le souvenir jusque dans sa tombe.

La mère avait un choix à faire entre la vie et la mort.

Normalement, il importait d'abord de corriger l'enfant.

Il convenait ensuite d'aller s'excuser auprès de la voisine.

Il fallait enfin s'astreindre à une laborieuse lessive.

Pourtant, d'emblée, elle a opté pour la fête ; la lessive a été faite, bien sûr, mais dans un climat de victoire et de grande joie.

Nous demeurerons d'éternels insatisfaits aussi longtemps que nos victoires exigeront de nous le redressement des situations ou la correction de notre propre trajectoire, ce qui surtout est capital à nos yeux.

C'est sur nos ruines seulement que notre danse peut recevoir ses lettres de créance.

Écarter la mort ou insuffler la vie ?

Une invitation nous presse, il faut sortir de nos routines.

Face au drame, il y a toujours un point d'intervention miraculeuse qu'il s'agit de ne pas manquer.

Un moment de grâce nous est immanquablement offert où il nous est loisible non seulement de transfigurer la face des situations les plus dramatiques, mais de le faire, comme cette jeune femme, avec une joie d'enfant et avec une incroyable facilité.

Notez qu'instinctivement *nous travaillons beaucoup plus volontiers à écarter la mort et la souffrance qu'à « insuffler » la vie.*

Cette attitude est la manifestation d'une grande pauvreté d'être.

Défendre constamment ses arrières est le fait d'une armée en déroute.

Spontanément, nous allons tenter d'éloigner la mort, alors que *le seul véritable combat consiste à introduire la vie jusqu'au cœur de la mort.*

Remarquez que la police sanctionne.

Elle ne « s'implique » pas, elle ne fait qu'« appliquer » la loi.

La caractéristique d'un véritable « vivant » est de cultiver la vie au lieu de se protéger contre la mort.

Tout est dans la « manière »

Se satisfaire de corriger les situations boiteuses, c'est trop souvent *une manière subtile et commode d'éviter les exigences de l'essentiel auquel nous sommes tous appelés.*

C'est un peu comme insérer un colorant dans un produit dont la valeur est douteuse.

Tôt ou tard, la vie se chargera de démasquer l'ambiguïté de nos interventions.

L'urgence n'est pas de rectifier ce qui est défectueux.

L'important est dans la « manière » d'intervenir.

Ce que nous oublions si facilement !

La détermination et la générosité dont nous faisons preuve dans nos engagements manifestent bien souvent *la pauvreté de notre capital intérieur.*

Il est des artistes qui, en se produisant de façon impeccable, n'arrivent pas à nous faire vibrer.

Techniquement parlant, une autre personne réussira moins bien, mais sera capable de soulever son auditoire.

Si le premier tente de redorer son étoile en limant sa technique, il n'arrivera jamais à passer la rampe.

Il serait mieux inspiré s'il s'étudiait *à faire éclater en lui les veines de la vie.*

Avec l'aisance et la grâce de la vie

Nous sommes fortement invités à pénétrer jusqu'au cœur du réel, à descendre jusqu'aux racines de notre vérité, en cet endroit caché où notre agir n'a pas la permission de s'introduire.

Si nous faisons la sourde oreille à cette interpellation qui nous est adressée, nous nous condamnons à demeurer dans l'univers de l'inaccompli.

Nous nous refusons presque continuellement aux lois établies par la vie, elle qui a le don de tout faire avec cette grâce qui ignore nos pénibles efforts.

Recevoir le fruit au creux de la main

Il existe un mode victorieux d'intervention qui donne des fruits lourds de sève, des fruits qui viennent *non pas d'un «effort», mais d'un «éveil»*.

Il y a là tout un univers de différence.

Vous avez constamment à choisir entre le marteau-compresseur qui fend la pierre et votre bouton de rose qui s'ouvre au soleil.

Nous avons bien du mal *à abandonner l'univers de l'effort* qui nous oblige à arracher un à un les fruits dont nous avons besoin pour vivre.

Si nous savions arriver au bon moment, celui où, étant mûr, le fruit se détache de lui-même de l'arbre pour nous tomber au creux de la main!...

Il y a en cela tellement de bonheur que vous allez en oublier votre faim pour savourer l'arôme et la beauté de ce qui vous est offert si gratuitement[2].

Observez en passant qu'une expérience comme celle-là déroge aux lois habituelles: normalement, quand on cueille un fruit, c'est pour le manger.

---

[2] «Si tu voyais tout le mal que je me donne pour être heureux» (Gide à Valéry).

Ainsi se présente toujours un autre palier, je dirais une terre de célébration, où il nous est loisible de glisser, là où la vie fait irruption avec sa miraculeuse générosité.

Contestataires de l'ordre établi

Nous avons été éduqués à fonctionner non dans le sens de la vie, mais à l'encontre de ses lois.

Et le plus difficile est de nous faire à l'idée que nous allons effectivement à contre-courant.

C'est goutte à goutte que doivent se reconquérir nos formes libératrices d'intervention.

Il nous faut beaucoup d'audace et de courage pour entrer dans les corridors de la vie.

Ce qui fait difficulté, c'est que nous sommes bâtis moins en fonction de l'ordre établi qu'en fonction du risque ;

moins en fonction des convenances qu'en fonction d'une espèce de démesure et de provocation des éléments.

Nous serons inconfortables aussi longtemps que nous refuserons d'emprunter les chemins du miracle.

Accepter de circuler hors des chemins du miracle, c'est marcher en dehors de notre chemin.

Et nous refuser ainsi, *c'est devenir responsables de la mort du monde en lui laissant croire que, pour lui, il n'y a pas d'autres voies que celles de ses impasses.*

Nous avons mauvaise conscience de « vivre »

Nous respirons à l'aise quand nous avançons dans des chemins bien balisés.

Pourtant, nous avons le devoir d'inventer continuellement notre voie, comme l'hirondelle qui, nous le sentons, met sa joie à créer sa trajectoire dans le ciel.

Nous n'avons pas le droit de nous laisser emprisonner dans le traditionnel.

Pour la mère du petit Jean, il convenait, n'est-ce pas, de corriger l'enfant?

La chose saute aux yeux de tous.

Mais il n'est pas immédiatement évident que *plonger l'enfant dans l'ivresse de l'amour et dans la démesure d'une fête inespérée, alors qu'il attendait la sanction, puisse avoir été, pour le petit, une expérience capable de l'éveiller aux possibles irruptions de la vie, au moment où, à ses yeux, tout semblait perdu.*

Voyez comment la vie peut venir nous déstabiliser avec ses lois: c'est en quelque sorte *l'imprudence de la mère qui, sous les couleurs de l'irresponsabilité*, a enfanté un « vivant ».

Qui de nous peut se permettre une telle réaction spontanée devant les contrariétés de la vie, tout en ayant au cœur la certitude que les fruits viendront avec beaucoup plus d'abondance?

C'est la pédagogie qu'il nous faut utiliser *pour susciter des « vivants » autour de nous, et surtout pour devenir nous-mêmes des « vivants ».*

Une chose est certaine: si une telle qualité de victoire nous laisse sur la conscience un vague sentiment de négligence, nous avons en cela la révélation que nous sommes à des années-lumière de la vie et de ses miracles.

Sous les apparences de la générosité, de l'ordre et du devoir, nous pouvons semer la mort partout sur notre chemin.

C'est une démarche très sérieuse que de mettre un enfant au monde.

Pourtant, c'est dans la joie et avec une part de « déraisonnable » que la nature demande l'amorce du processus de la génération humaine.

Comme l'aurore d'un beau jour, les plus grandes choses s'accomplissent dans la simplicité, dans la joie et dans une espérance sans bornes.

Il existe bien des formes de « réussite » qui ne sont rien d'autre qu'une entrée dans la mort.

En contrepartie, il est une « qualité » d'errance qui plonge jusqu'au cœur de la vie.

Si vous choisissez un jour de marcher la main dans la main avec la vie, toutes vos mesures et vos paramètres vont se voir remis en question.

Créateurs de chemins nouveaux

Nous ne sommes bien que dans ce que nous inventons et créons de toutes pièces.

Dans notre vie, nous n'avons pas la permission de repasser deux fois par le même chemin.

La vie nous invite à relever de façon originale et neuve les défis qu'elle ne cesse de nous présenter et, en tout premier lieu, le monotone quotidien qui est le nôtre.

« L'amour n'a qu'un mot et, en le redisant sans cesse, il ne le répète jamais » (Lacordaire).

Pour naître au creux de nos mains, le miracle n'attend pas notre contribution, *il n'exige qu'un peu de respect envers nous-mêmes.*

Nous manquons à notre démarche de « vivants » aussi long-temps que nous hésitons à multiplier les naissances en abandonnant la mort à elle-même.

Il nous importe d'inquiéter le monde

Notre manière de réagir devant les défis et les échecs doit laisser entendre que nous avons eu accès à une forme inexplicable de liberté.

Nous avons la responsabilité d'inquiéter tous ceux qui demeurent paisiblement installés dans un conformisme tranquille en leur faisant prendre conscience qu'ils sont des « incarcérés ».

C'est la plus urgente de toutes les leçons que nous devons leur transmettre.

Que gagnerons-nous à faire cesser les guerres, si les humains demeu-
rent incapables d'utiliser la paix à bon escient ?

Et soyons bien persuadés d'une chose :

il est infiniment plus facile pour nous de faire la guerre que de
« gérer » la paix.

C'est seulement l'expérience d'une *« fécondité festive »* qui
pourra nous détourner de l'inclination maladive à corriger à
notre manière les situations boiteuses que nous rencontrons.

C'est en agissant sur les racines que les fruits nouveaux ont
des chances d'apparaître, non en n'intervenant qu'au bout des
branches.

La vie refuse de gaspiller son temps à se battre contre les
courants de mort qui circulent partout.

Tout ce qui aurait la prétention d'entraver sa marche, elle
l'engloutit pour en faire le meilleur de sa nourriture.

Pour elle, il est trop gratifiant de faire surgir partout la lumière pour qu'elle puisse consentir à se mesurer avec les obstacles auxquels elle est continuellement confrontée.

C'est au baume de la paix qu'elle laisse le soin de guérir et de
cicatriser toute blessure.

Tout accomplir sur mode de célébration

Nous sommes habituellement très peu attentifs à cette manière d'intervenir qui, en l'absence de toute sanction et de
toute correction, peut transformer nos situations de désarroi en
purs espaces de lumière et de liberté.

Par exemple, dans notre très sérieuse démarche d'aujour-
d'hui, quel espace avons-nous réservé à la noce ?

Toute réalisation qui ne s'accomplit pas sur un mode de célébration
est une œuvre qui demeure inaccomplie, immature, indigne de la vie.

Dès que la vie entre en jeu, la fête surgit, incoercible.

La transpiration et les sueurs froides sont caractéristiques de
la mort.

Efforts et célébration ne sont pas incompatibles; ils s'appellent, au contraire.

Mais les seuls efforts auxquels nous avons droit sont ceux qui convergent vers la fête: comme ceux du trapéziste qui défie les lois de la pesanteur, ou comme ceux de la femme qui met un enfant au monde.

Un mode festif d'accomplissement

Il est un endroit de votre être où vous devrez être introduits un jour
pour que tout l'univers se comprenne enfin,
pour qu'en vous cesse le combat de « l'être raisonnable »,
pour que, miraculeusement, vous soyez instruits de votre richesse intérieure.

Si vous négligez de prêter attention à cette manière « festive » de traverser le mystère de la souffrance, *ce n'est pas parce que l'accès du chemin en serait trop difficile, mais parce qu'il y a pour vous plus de satisfaction à « performer » et à vous « affirmer » qu'à vous « épanouir ».*

Incroyable: il suffit de porter attention à nos attitudes de chaque jour pour nous voir condamnés sans appel par une vérité comme celle-là.

Dominer ou nous livrer sans défense?

L'enfant nous fascine.

Son approche est à l'opposé de l'esprit de domination et de conquête.

C'est son impuissance et sa totale dépendance qui réduisent à l'état d'esclaves tous ceux qui l'entourent.

Et le prodige est qu'il réussit à faire de tout ce beau monde des esclaves joyeux, comblés de pouvoir tout lui donner et de s'immoler pour lui.

S'agit-il pour nous d'influencer le cours des événements et de les maîtriser, ou bien ne nous est-il pas plutôt demandé de nous livrer sans défense ?

Obliger nos semblables à se mettre à notre service : au service non de nos caprices mais de notre vérité profonde, restera toujours le moyen le plus efficace de les accomplir.

D'instinct, nous aspirons à gagner en dominant les situations et en nous soumettant les personnes.

Nous ne prenons pas conscience qu'à ce moment-là, ce n'est pas la vie qui nous fait agir mais la *peur*.

Il nous faut maîtriser les forces qui nous entourent, parce qu'elles nous menacent.

Avant tout, il importe de trouver une solution à l'incontournable problème de la souffrance.

Quant à la mort, il est trop évident que nous n'y pouvons rien.

Alors, nous essaierons de l'oublier en la faisant disparaître sous les fleurs.

Obliger l'inconnu à me fournir le meilleur

Notre salut n'est pas entre nos mains, quelle incertitude !

Notre destin nous échappe, et la chose nous angoisse.

Pourtant, c'est bien là le chemin royal qui doit nous conduire à l'ultime étape du bonheur !

C'est pour nous aider à prendre conscience de notre pouvoir de résurrection que nous sommes sans outils et sans moyens devant la souffrance et la mort.

Aux événements, il faut pouvoir parler comme à des « amis ».

Et nous devons en arriver à forcer l'inconnu à nous fournir le meilleur, le contraindre à nous enfanter ce bonheur dont nous avons si tragiquement besoin.

Il y a, en effet, infiniment plus de satisfaction pour nous à recevoir le bonheur[3] qu'à le conquérir et à nous le donner nous-mêmes, ce qui aura été le scandale de toute notre vie.

Dans les deux cas il m'appartient, mais quand je le reçois, en plus de le posséder, j'ai la certitude que je suis l'objet d'une attention bienveillante.

La soumission festive

Quelle révolution :
nous ne pouvons nous accomplir que dans la *soumission* !

À noter qu'il y a deux manières de se soumettre.

On peut le faire en obéissant à une loi, à une autorité, mais cette façon d'agir n'est pas présente dans les registres de la vie.

La soumission véritable accomplit au mieux celui qui obéit et celui à qui l'obéissance est rendue.

Si nous comprenons bien, il devient aussi facile de nous soumettre que de nous laisser fasciner par un spectacle rempli de lumière et de beauté.

Nous soumettre, nous soumettre aux événements sur lesquels nous n'avons aucun pouvoir, c'est obéir à ce qu'il y a de plus vrai en nous.

C'est faire l'expérience de voir toutes choses devenir servantes de notre faiblesse.

C'est faire l'expérience exaltante du skieur qui, au-delà du tremplin, se projette dans le vide pour sentir l'air le porter en quelque sorte.

Si tout le réel (événements, choses, personnes) se refuse à nous servir, c'est dans la mesure où nous hésitons à lui faire confiance.

---

[3] « Le vrai bonheur coûte peu ; s'il est cher, il n'est pas de bonne espèce » (Chateaubriand).

C'est par *« le désordre d'une confiance aveugle »* que nous sommes invités à provoquer partout le jaillissement de la lumière.

La seule manière d'obéir qui soit digne de nous, c'est *« la soumission festive »*, celle qui accomplit d'abord celui qui la vit.

Cette loi est partout inscrite : au fond de nous d'abord, et dans tous les éléments du monde qui attendent que nous leur fassions violence afin de pouvoir mieux combler nos désirs.

Première remarque : l'attitude qui nous est ici demandée ressemble étrangement à celle de l'enfant pour qui il est tout à fait normal que les adultes qui l'entourent ne soient là que pour lui.

L'Écriture elle-même insiste sur la nécessité pour tous de devenir comme des enfants.

Deuxième remarque, et peut-être plus parlante pour nous : c'est de cette manière que les amoureux se soumettent l'un à l'autre pour leur propre « accomplissement », créant du même coup l'espace pour la plus belle forme de fécondité qui soit, celle de l'amour.

La liberté créatrice

Le phénomène de la respiration est une loi inscrite dans nos gènes, et nous sommes en santé quand l'emphysème, par exemple, ne vient pas en contrarier le processus.

Eh bien, de la même manière que dans l'ordre biologique nous acceptons de respirer, il nous est demandé de nous couler dans les lois qui nous régissent de l'intérieur.

La liberté qui semble un défi de première grandeur n'est rien d'autre que cet accord et cette harmonie de notre être conscient avec les lois profondes qui sont inscrites en nous.

La vérité peut-être la plus méconnue dans le monde est que nous sommes construits pour *« le bonheur d'être »*.

Et nous en sommes privés uniquement parce que nous vivons trop loin de nous-mêmes.

Nous appréhendons l'influence des forces obscures en oubliant que *chacun de nous est soumis au « meilleur » de lui-même.*

Il ne nous est pas facile d'adhérer pleinement à une vérité comme celle-là.

Nous demeurons méfiants envers la richesse de notre sol, et douter de nous est la plus grande désolation qui existe sur la face de la terre[4].

Combien d'enfants étouffés !

Vous êtes riches d'une fécondité dont la grossesse de la femme n'est qu'une image.

Combien de fois avez-vous refusé de donner naissance au miracle que vous portez en vous ?

Il se fait actuellement beaucoup de tapage autour de l'avortement.

Les raisons apportées par les « pro-vie » ou les « pro-choix » ne feront jamais avancer le débat.

Le tragique de l'avortement, c'est qu'il est une image de toutes ces poussées de vie qui, du fond de votre être, demandaient à venir au jour, de ces élans de folie auxquels vous avez refusé de donner naissance en consentant à vous laisser emprisonner dans le « conventionnel », dans ce qui « convient ».

La chose est aussi épouvantable que de produire des enfants en série, avec des visages indifférenciés.

La mère du petit Jean a été sur le point de consentir à cette sorte d'avortement, au moment où elle a franchi le seuil avec l'intention de sermonner l'enfant, mais au dernier moment elle s'est ravisée, et elle a cédé à l'invitation d'inventer la fête à partir du désastre et d'y entraîner le petit.

Quelle multitude d'enfants avons-nous pu étouffer *en nous refusant à un peu de folie ?*

---

[4] Vous avez reçu une demeure en héritage. Qui donc vous a interdit d'y entrer ?

Une genèse nous travaille, et rien ne peut entraver son agir.

Comme chez la femme qui accouche, plus nous résistons à notre loi interne, plus la douleur vient nous dire que nous sommes maladroits dans notre propre genèse.

Cependant, en bout de ligne, l'enfant viendra quand même au monde, envers et contre tout.

Une qualité d'eau telle qu'elle ne peut être utilisée

On lit, on cherche, on pleure,
on souffre, on quête, on mendie,
puis, sans avertissement, on devient le lieu d'une inexplicable transformation, d'une expérience à laquelle on n'avait jamais aspiré.

Du fond de l'être crèvent les sources d'eau vive.

Tout déborde !

Et l'eau qui vient n'a cure de savoir où elle va se perdre, de quelle manière elle sera utilisée, à quoi elle va servir.

Il y aurait profanation à s'arrêter à de pareils calculs, quand la surabondance noie le cœur dans la béatitude.

La qualité de votre eau est telle qu'elle ne peut pas être « utilisée ».

Et puis, elle est si personnelle que vous ne pouvez la partager avec qui que ce soit.

Vous allez me dire que pouvoir partager ce que nous avons de plus beau est précisément la plus grande des joies.

Parler ainsi, c'est manifester que nous nous connaissons bien mal : le bonheur accompli a quelque chose de sacré et, d'instinct, il se cache pour mieux vivre sa fête.

Déjà, dans l'expérience amoureuse, les intéressés s'isolent volontiers pour mieux être à leur joie.

Dans l'expérience spirituelle, la personne est seule avec elle-même : le véritable bonheur a ceci de particulier qu'il est incommunicable.

C'est là le plus haut sommet de l'expérience humaine.

Notre dernière béatitude a besoin de l'absolue solitude.

Il importe si peu de connaître le pourquoi des choses, une fois qu'on a reçu la grâce d'être touché par l'essentiel du bonheur !

S'intéresser au pourquoi et au comment est l'occupation – il vaudrait mieux dire la « préoccupation » – de ceux qui ne savent qu'engranger péniblement, sans pouvoir jamais déboucher dans la célébration.

Ils ne peuvent amasser que pour les autres.

L'urgence n'est pas d'abord de maîtriser les situations ou de percer les portes de l'inconnu.

Il s'agit de tomber en adoration en présence du mystère, le mystère de l'amour qui a ceci de particulier :

il n'a jamais besoin de nous forcer la main, parce qu'il prend toujours soin de nous gagner le cœur en nous éveillant d'abord à sa beauté.

Nous sommes tous au « féminin »

Dans l'ordre de l'être et de la vie, nous sommes tous au féminin : c'est après que la femme s'est livrée à l'amour qu'elle donne vie.

Dans l'ordre du mystère, cependant, il n'est pas en notre pouvoir de nous donner ce qu'il convient d'appeler le « subir de l'être ».

Nous ne pouvons même pas nous y préparer ou nous y exercer.

Nous ne pouvons qu'observer les signes de son approche et de sa présence.

Il y a un espace, en nous et dans les autres, où notre agir n'a pas accès.

Comme la femme enceinte qui doit faire confiance aux mécanismes de la gestation, il nous faut faire confiance à une main mystérieuse *qui exige le respect de notre « inattention ».*

Dans l'ordre de l'être, nous ne pouvons *qu'« assister à notre naissance ».*

Dispensés de tout labeur

Nous rêvons de changer la face du monde et, plus encore, de nous transformer nous-mêmes.

Ces deux objectifs occupent une place colossale dans notre combat de chaque jour.

Allez-vous me croire ?

Il existe un chemin qui nous dispense de tout labeur pour pénétrer jusqu'au cœur de la vie.

Il suffirait de bien situer notre combat pour voir toutes choses s'accomplir comme par surcroît, et notre propre vie s'épanouir au-delà de notre soif de bonheur.

Il s'agit moins de combattre que de comprendre que tout nous est acquis.

Il nous faut, par la seule harmonisation de notre être, en arriver à interroger ceux qui nous entourent en leur disant sans même proférer de paroles :

« Mais qu'y a-t-il à changer ?

Tout n'est que lumière et accomplissement.

Le miracle sourd de partout ! »

Le regard qui crée la lumière

Nous avons reçu la mission de transfigurer le monde en lumière, non par nos interventions, mais par la seule limpidité de notre regard.

Le regard spirituel, en effet, a qualité non seulement pour découvrir la lumière là où elle demeure cachée aux yeux de ceux qui n'effleurent que la surface du réel, mais il possède la faculté de *créer la lumière là où elle n'existe pas.*

Une personne établie dans sa vérité est en mesure d'extraire la vie de l'inconnu et de toute situation qui peut s'avérer menaçante, au lieu de se laisser écraser par celle-ci.

Sans l'avoir « mérité »

J'insiste : sans rien changer aux événements, sans changer les personnes ni les choses, sans même avoir à nous changer, il nous est loisible de percevoir notre monde, pourtant perturbé, tout rayonnant de lumière.

La désolante pauvreté de notre vie peut nous apparaître soudain tout informée de grâce et de beauté.

Voici la loi qui préside à ce miracle :
il nous est loisible d'entrer au cœur de la lumière sans l'avoir mérité et sans y avoir été préparés !

Voici donc que sont remises en question toutes les approches de l'au-delà : le karma pour l'Orient et le jugement pour l'Occident, du moins pour la tradition judéo-chrétienne.

Le jugement de l'amour n'a rien à voir avec notre justice.

Trembler devant le jugement de l'amour, c'est se laisser emprisonner dans la lettre qui tue, au détriment de l'Esprit qui vivifie.

La vérité de l'amour n'a cure de mon indignité ni de mes mérites !

Il nous suffirait de connaître l'amour pour éliminer toute angoisse, tout marchandage et toute profanation.

Comme il importe d'informer le monde pour qu'il reçoive une telle lumière !

Mais nous ne pourrons le faire qu'en consentant à nous perdre au cœur de cette vérité.

Dans une telle perspective, la souffrance n'est plus une *préparation, une condamnation, une expiation ou une purification, elle est devenue révélation de l'intensité de ma soif!*

La mort elle-même n'est plus que le signe de la grandeur de mon destin.

Mais il y a chez nous cette déformation profonde en vertu de laquelle *nous préférons gagner notre pain plutôt que de le recevoir.*

Notre détresse fait que nous avons besoin de nous affirmer de cette manière, et c'est bien triste.

Colorer ses parcours inavouables

A priori, le souffrant est un être « appelé » à quelque chose de plus.

Si « bien peu de personnes sont dignes de leur souffrance », comme dit Dostoïevski, bien plus rares sont celles qui ont suffisamment de dignité pour *respecter* la souffrance des autres.

Pour ceux qui demeurent loin des cheminements libérateurs de la vie, le respect de la souffrance de l'autre revêt toutes les couleurs de l'indifférence, alors qu'il est une forme supérieure de communion avec le malade.

Ce respect de l'être souffrant est nourri par un mode d'héroïsme en vertu duquel on consent à accompagner l'autre jusqu'au cœur de sa détresse pour en découvrir la signification, au lieu de s'agiter parce qu'on appréhende de se voir soi-même confronté avec la douleur.

C'est ainsi que notre égoïsme possède des ressources étonnantes d'inventivité pour colorer de vertu ses parcours inavouables.

Si le malade aspirait moins à être soulagé qu'à être compris ?

Il y a en nous un sixième sens grâce auquel nous pouvons percevoir le drame de notre souffrance sous les traits d'une incomparable richesse.

Et voilà que surgit une loi bouleversante:

le malade espère secrètement que soit reconnue et « mesurée » au fond de lui cette grandeur obscure dont il pressent confusément la présence.

Jamais, bien entendu, la personne souffrante ne vous formulera une pareille demande, mais si vous fournissez la réponse à cette attente qu'elle-même ne peut ni concevoir ni verbaliser, vous serez étonnés de constater l'apaisement qu'elle pourra en recevoir.

L'être souffrant aspire moins à être « soulagé » qu'à être « compris ».

Il a moins besoin que vous l'arrachiez à sa souffrance que de se voir accompagné dans la grandeur tragique de son chemin.

Avec un tel principe sont remises en question toutes nos approches face à la souffrance.

Éviter de nous laisser transformer

Tout ceci ne veut pas dire qu'il faille nous désintéresser du soulagement à apporter à ceux qui souffrent.

J'ose espérer que je puis, ici, me dispenser d'explications?

Il s'agit de mettre de l'ordre dans nos valeurs.

Mais il est si tentant pour nous de guérir et de sauver.

Ainsi, nous pouvons éviter de nous voir ramenés à notre vérité et au respect de nos lois profondes.

Nous avons inventé une multitude de chemins pour *esquiver le purgatoire de notre vérité.*

À la limite, s'il nous était possible de trouver une solution au problème de la souffrance, nous pourrions nous dispenser d'évoluer et de grandir.

Si c'était là l'impasse dans laquelle, sans jamais oser nous l'avouer, nous préférerions nous engager?

Mais la nature veille au grain.

Jamais elle ne nous accordera le loisir malsain de nous installer dans l'insignifiance d'une existence sans dépassement.

Elle sait, elle, que notre rassasiement ne se trouve qu'au-delà de nous-mêmes.

Nous acharner contre la souffrance et contre la mort est, bien souvent, sous couleur de dévouement ou de progrès, une fuite et une lâcheté.

Nous avons rarement conscience d'entrer dans un processus de violence dès que nous obéissons au désir de tout corriger[5].

Mais que pourrait devenir un monde sans pauvres, sans violence, sans désordre?

Un tel univers se verrait condamné à ne jamais se remettre en question.

Et que deviendrions-nous nous-mêmes si nous pouvions avoir une réponse à toute souffrance et à toute angoisse?

La menace : nos manques ou nos acquis?

Comme il nous est facile de céder à l'intensification et à l'accumulation, alors que tout l'enjeu est *d'avoir «accès à l'harmonie»*.

L'urgence est de liquéfier le monde en le noyant dans la douceur et l'innocence de l'être.

Je n'ose pas dire « dans l'innocence de « mon » être »...

L'urgence est de croire avec tellement de naïveté que le monde puisse être bouleversé par la stabilité de notre paix!

Ici, toutefois, nous sommes à des lieues d'un durcissement devant le mal, étrangers à toutes sortes d'obligations ou de devoirs.

Nous pouvons nous permettre de pleurer et de gémir comme des enfants.

Il n'y a absolument rien de stoïque dans le défi en question.

---

[5] Dans cette attitude vit, en sourdine, le rêve du bonheur sans ombre qui ouvre bien souvent le chemin à la médiocrité.

La désolation d'un enfant est si éloignée de l'amertume et du dépit de l'adulte devant un échec !

Pour être en mesure de livrer ce combat de la vie, il faut nous armer d'une dose incroyable d'harmonie intérieure.

Nous devons évacuer le lieu de nos victoires pour parvenir jusqu'à la fécondité silencieuse.

Il faut nous arracher « violemment » à toute forme de combativité et savoir, au besoin, nous interdire une multitude d'interventions mal éclairées.

Et quand nous ne sommes pas mûrs pour cette qualité de combat, nous pouvons continuer librement de nous agiter et de nous attaquer aux problèmes : notre agitation viendra s'ajouter au désordre qui existe déjà.

Dévouement ou voie d'évitement ?

Nous consentons une somme incalculable d'énergie et de ressources à la recherche, mais « gérer » les découvertes de la technique est une tâche infiniment plus difficile.

C'est là le tout premier danger de la technique.

Il est si facile de réduire la vie à une mécanique !

Il est si tentant pour nous de soumettre le désordre et de jouer les maîtres sans avoir à nous compromettre, en évitant de devenir les élèves dociles de tant de contrariétés et d'échecs qui ont mission de nous ramener à l'essentiel de nous-mêmes !

Dans l'ordre de la vie, nos préparations sont ce qu'il y a de plus menaçant, même si elles peuvent être des succès spectaculaires dans l'ordre pratique.

Nos acquis nous menacent bien davantage que nos manques et nos pauvretés.

La mesure du remède

Jamais nous ne choisirons de passer de notre palier d'intervention à un mode supérieur d'agir par décision volontaire ou à la suite d'un témoignage; le surgissement de l'impasse sur notre chemin nous y acculera.

Quand l'impasse s'amène, elle indique habituellement que l'éveil vient de se faire en nous et que nous sommes prêts à relever le défi.

Mais alors, il faut vous poser la question : êtes-vous réellement sensibles à d'autres valeurs, ou simplement épuisés à force d'irrespect de vous-mêmes?

Votre quête est-elle le résultat d'un vide insupportable, d'une douloureuse absence de vie, ou le signe seulement de votre prétention à corriger les choses à votre manière?

C'est l'expérience d'une inexplicable lassitude qui, seule, pourra vous sensibiliser à la véhémence de votre appétit de vivre et à votre incalculable capacité de recevoir.

C'est la prise de conscience d'une profonde déchirure en votre intérieur qui peut vous faire crier vers une solution qui soit à la mesure de votre désarroi.

Un jour, la déception viendra signer toutes vos tentatives de victoire.

Et si cette déception ne vient pas, c'est le signe que votre être n'est pas encore éveillé [6].

À ce moment-là, il vous reste encore suffisamment de liberté pour continuer de chercher des solutions de rechange.

Mais tôt ou tard il vous faudra subir la démythification de vos conquêtes.

Quand cette heure sonnera pour vous, vous n'aurez plus qu'à assister à la naissance de votre lumière et de votre liberté.

Le magnétisme de la paix

La fécondité vient de changer de mode et aussi d'orientation :

elle se fait désormais en direction du dedans et non plus en se projetant au-dehors.

---

[6] « Nos bonnes actions sont comme du linge souillé » (Is 64,5).

La satisfaction de la réussite devient alors un poison virulent.

Elle apparaît comme la signature de la mort : une branche séchée sur un tronc mort.

Ce jour-là, vous découvrirez que vous êtes promis à une autre qualité de victoire.

Il vous deviendra impossible d'agir pour un objectif extérieur.

Vous avez l'évidence que vous comporter ainsi serait aller contre toutes les lois de la vie.

Votre agir, vos réalisations et l'accomplissement de vos rêves n'ont plus de valeur par eux-mêmes.

Ils ne sont plus que la manifestation de votre plénitude : à la manière de l'enfant qui court non parce qu'il est pressé mais parce qu'il déborde de santé ; à la manière surtout des amoureux qui s'embrassent non pour s'aimer mais parce qu'ils s'aiment.

Extérieurement, le comportement demeure le même, mais dans le secret de l'être, c'est le jour comparé à la nuit.

Agir par surcroît d'être

Croyez-vous que le pommier fleurit et fructifie pour vous nourrir ?

Seul, au fond de la forêt, il est là depuis quarante ans.

Jamais vivant n'est passé par là pour admirer ses fleurs ou se nourrir de ses fruits.

Il n'en continue pas moins, chaque année, de fleurir et de fructifier.

Il produit fleurs et fruits non pour un motif extérieur mais uniquement pour obéir à sa loi interne.

De même, celui qui est parvenu à l'âge adulte n'agit plus que par surcroît d'être et en soumission à une seule autorité, sa vérité profonde.

Naît alors dans l'intime de l'être un sentiment de liberté qui semble appartenir à un autre monde.

Cette personne n'accepte plus l'irrespect des appels extérieurs qui ne tiennent pas compte de ce qu'il y a de plus beau au monde, son propre cœur.

Elle est à jamais sortie de toutes les formes d'esclavage et de contrainte.

C'est par elle-même qu'elle se détermine à agir.

Pour la première fois de sa vie, *elle est surprise de liberté.*

Et voici le miracle :

Jamais l'œuvre extérieure ne sera accomplie avec autant de plénitude et de perfection qu'au jour où elle sera posée ainsi, en pure gratuité, sans qu'elle soit nécessaire.

Rêver seulement d'avoir une influence sur autrui, c'est déjà profaner l'autre aussi bien que soi-même et briser tous les mécanismes d'intervention de la vie.

Le vide et l'absence appellent la vie

Si tu ne refuses pas, si tu as assez de générosité pour te laisser informer par la vie, un jour elle te soufflera ceci à l'oreille :

« Relativise l'importance de tes engagements pour te recueillir au fond de toi, là où, dans le silence et l'oubli, dans la discrétion et le dépouillement, tu deviens capable d'enfanter le monde. »

Le vide et l'absence appellent la vie avec la dernière insistance.

Par contre, nos interventions lui imposent silence.

Plus tu quittes tout avec radicalisme et plus ce sur quoi tu te concentres est infime – les moindres mouvements de ton cœur –, plus le miracle de la naissance du monde est près d'éclater.

Dans l'espace, il y a des astres éteints dont la force de gravité est si grande que la lumière est incapable de s'en échapper.

Admirable image de ce à quoi nous sommes tous appelés à devenir.

Remarquez que cet état de l'astre est consécutif à son explosion et à son expansion, symbole de l'âge fou où, sans discernement, nous nous lancions à l'assaut de tous les défis.

Le magnétisme de notre densité

Tout cela, c'est le monachisme, scandale d'indifférence et d'infécondité.

L'agir le plus profond se tait d'instinct et se cache, comme des amoureux qui désirent s'embrasser.

Et le miracle est que les moines ont construit ainsi l'Europe sans avoir eu cet objectif en vue.

Ils y sont arrivés uniquement par l'ordre interne et la cohésion.

Nous sommes destinés à atteindre une densité si grande qu'elle appelle à soi tout ce qui l'entoure.

Avec une force irrésistible, notre harmonie intérieure doit inviter tout ce qui nous approche au repos, au silence et à la paix.

Ce qui nous est demandé de plus pénible est de laisser nos abîmes accomplir leur tâche irremplaçable !

Et ce n'est pas la plus facile des missions qui nous sont confiées.

On ne s'y attelle qu'après avoir expérimenté l'insuffisance de toutes les autres voies d'accomplissement.

Je suis le centre

Rendus ici, il nous faut aborder de front le paradoxe qui est à la base de tout ce que je vous ai partagé jusqu'ici.

Ce paradoxe, personne n'ose le formuler pour son propre compte.

Il est menaçant au possible.

Le voici :
Le but ultime de toute la création est « l'accomplissement de moi ».

Tout l'univers est ordonné à mon accomplissement.

Voilà bien l'inacceptable scandale, n'est-ce pas ?

Devant le drame partout présent de la souffrance et de la mort, le problème le plus urgent du monde est l'avènement de ma vérité.

Imaginez ! je suis le centre de l'univers : tout n'a de raison d'être que par moi.

Sans moi, l'univers demeure inexplicable !

Et cela, non à cause de mes œuvres ou de la transformation de mon comportement, mais *par le seul poids de mon mystère.*

Une telle affirmation est intolérable de prétention, bien sûr.

Reposez-vous, je ne tenterai pas de vous faire accepter une pareille énormité.

L'accumulation n'y est pour rien

Pourtant, j'ai un ami qui, un jour, a vécu le grand amour.

Son travail l'a obligé à s'éloigner de la personne qui était toute sa vie.

La douleur de la séparation et le martyre de l'ennui ont fini par avoir raison de lui.

Il en a perdu le sommeil et l'appétit.

Un hypnologue lui a alors offert de l'arracher à cette souffrance qui menaçait son emploi et sa santé.

Il pouvait le délivrer à jamais du souvenir de cette femme.

Mais mon ami a catégoriquement refusé.

Si, en compensation de cette perte, on avait pu lui offrir l'amour des deux milliards de femmes qui circulent sur la terre, à ses yeux, ce capital immense n'aurait jamais fait le poids avec la personne qui, pourtant, était à l'origine de tant de souffrances.

Pour lui, un seul être représentait infiniment plus que tous les autres réunis.

L'intolérable paradoxe que je formulais il y a un instant serait donc écrit quelque part en chacun de nous ?

Mais il ne peut être saisi qu'à l'intérieur du monde de l'amour.

L'injustice de l'amour

Et voilà que l'Écriture nous parle d'un enfant qui, avec les filles de joie, a dilapidé l'héritage, le bien gagné par son père.

Un jour, n'en pouvant plus de souffrance, au bout de toute indigence et couvert de confusion, il ose revenir à la maison pour avoir un peu de pain à se mettre sous la dent.

Surprise !

Il constate qu'en dépit de son état il est le premier.

Il passe avant son frère qui, dans la fidélité, a labouré les champs du père et rempli les greniers de la maison.

Comme la fiancée, je puis répéter : « À moi seul, j'ai plus de valeur que tous les humains réunis. »

Cet inexplicable retournement des valeurs, on l'appelle « *l'injustice de l'amour* ».

À l'encontre de toutes nos mathématiques, il nous faut admettre que la partie est plus grande que le tout[7].

---

[7] Il est désormais une vérité acquise que nul n'aura la prétention de contester :
« C'est la communauté qui existe en fonction de l'individu, et non l'individu en fonction de la communauté. »
Le communisme a cru bon d'invertir l'ordre des choses en disant que l'individu était au service de la communauté. Les faits sont venus démentir sa théorie.

Perdu au milieu de la foule anonyme, j'avais toujours ignoré que j'étais celui qui donnait un sens à la vie de chacun.

Eh bien, aussi longtemps que, dans votre vie, vous n'accepterez pas cette loi bouleversante comme la dernière vérité de votre être, vous ne pourrez rien faire lever sur votre passage et vous demeurerez fermés, endurcis et amers devant la maison, là où tout le monde danse de joie autour de l'indigne qui ne mérite que le châtiment.

Me soumettre à ma vérité

C'est l'intensité de cette évidence égocentrique inacceptable qui, seule, pourra guérir le monde de son mal [8].

Il m'importe de la vivre jusqu'à l'inconvenable et jusqu'au déraisonnable.

Il faut me soumettre à ma vérité.

Jamais la terre n'aura été témoin d'un si grand défi à relever.

Me laisser « informer » par mes racines restera toujours la plus grande de toutes les œuvres qu'il puisse m'être donné d'accomplir, celle que j'ai fuie durant toute ma vie, celle à laquelle je devrai me soumettre au moment de la mort si je n'ai pas eu la sagesse de la vivre en état de pleine liberté.

Notre mal consiste en ceci :
nous sommes en retard sur nous-mêmes.

Nous laisser modeler par le meilleur de ce qui veut vivre en nous est un insupportable martyre pour ceux qui le vivent sans comprendre ce qui leur arrive.

---

[8] Le mouvement vers votre centre de lumière doit être si total et résolu qu'il en arrive à entraîner avec vous tous ceux qui sont sur votre passage.
Comme ces camions lourds qui, sur la voie rapide, vous dépassent à grande vitesse.
Votre voiture se sent happée par le déplacement de l'air.
Il y a place en vous pour contenir tout l'univers.
Il y a plus d'espace en vous qu'il peut y en avoir entre les galaxies.
L'ordre spirituel ne connaît aucune limite.

Mais pour ceux qui, dans la lumière, ont conscience en cela de naître à eux-mêmes et *de donner ainsi naissance au monde*, cette même expérience devient la plus comblante des béatitudes.

La force irréfutable d'un silence

Parvenir à cette vérité, à notre vérité, sera quelque chose de si bouleversant et de si révolutionnaire que vous verrez tous ceux qui vous entourent ramasser des pierres pour vous lapider.

Ils expliqueront leur geste en vous disant que votre prétention a quelque chose de diabolique, mais la véritable raison se cache ailleurs : c'est que cette levée de lumière en vous vient accuser leur propre retard sur la vie.

Vous devenez un objecteur de conscience dont la présence est intolérable.

Le seul fait de consentir à devenir ce que vous êtes constitue un discours à l'éloquence irréfutable.

Les autres n'ont plus le choix :
ils doivent vous supprimer ou se rendre à la vérité, *à leur vérité*.

Mourir avant l'heure de notre mort

Il s'agit de tout ramener à moi pour être en mesure de rendre les autres à eux-mêmes.

Quand vous serez établis dans cette vérité, le souffrant n'aura plus de question à vous poser.

Quelque chose lui laissera pressentir que vous avez vécu la mort, une mort plus radicale que celle à laquelle il est confronté, la sienne n'étant qu'une image de celle que vous avez traversée.

Il nous faut mourir avant l'heure de notre mort.

C'est de cette manière que vous devenez capables de vivre votre mort et de donner vie à la mort des autres.

Suinter la paix qui demeure

La mort est le plus radical de tous les échecs.

Or, si elle a été apprivoisée par vous, c'est-à-dire si vous vous êtes laissé traverser par la lumière de votre vérité, vous devenez le plus haut témoignage de paix qui puisse être donné à ceux qui sont encore aux prises avec « le combat de l'homme ».

Il faut avoir vécu la mort spirituelle pour « suinter » ainsi le témoignage de la maîtrise de soi en face de la mort biologique.

Il nous faut avoir été plus loin que la seule mort physique pour être en mesure de guider ceux qui sont engagés dans les couloirs obscurs de la mort biologique.

Nos racines sont impitoyables d'exigence !

Mais elles sont surtout inépuisables de naissances et de fécondité.

Si vous leur donnez la liberté de vous transfigurer, on ne verra rien d'héroïque dans votre itinéraire.

Tout au contraire, on vous accusera d'égoïsme : c'est le prix à payer pour avoir part à votre lumière et à votre liberté.

Serait-ce là vous manquer de respect ?

Vous avez peut-être la secrète tentation de mettre des bémols sur ce que je formule ici.

Aurais-je dû vous demander d'abord la permission de vous prendre au sérieux ?

Je m'autorise à me montrer respectueux de ce que vous êtes, à la condition que vous y consentiez vous-mêmes, ce qui est loin d'être acquis.

Je ne crois pas vous manquer de respect en vous parlant de la sorte.

LES ATTENTES INCONSCIENTES [1]

PREMIÈRE REMARQUE

Comme la naissance d'un amour

Nous rejoignons habituellement nos semblables en nous laissant interpeller d'abord par leurs caractéristiques extérieures.

Mais il est une autre façon d'atteindre jusqu'à l'intime des personnes.

C'est la naissance d'un amour qui nous en indique le chemin.

Pour devenir expert en droit, un étudiant doit consentir à plusieurs années d'apprentissage, accumuler une multitude de notions.

Mais l'éclosion d'un amour éternel entre deux personnes peut se faire en une fraction de seconde, sans l'ombre d'un effort et dans une expérience de bonheur inégalable.

De l'ordre du savoir à l'ordre du sentir

La technique, dans ses applications et ses résultats positifs, nous invite à emprunter des parcours compliqués et coûteux

---

[1] Colloque, 28 avril 1991.

pour arriver à nos fins, même quand la vie est l'enjeu de notre démarche.

La place exorbitante que l'on accorde aujourd'hui aux sciences exactes laisse très peu d'espaces disponibles pour qu'en nous les lois profondes de la vie puissent respirer librement et produire toute la qualité de leur arôme et la richesse de leur saveur.

Au début de ce partage, j'insiste pour que vous vous accordiez un moment de relâche.

Il vous faut bannir toute tension.

Il vous faut surtout perdre toute espérance de déboucher sur des solutions « concrètes » et « efficaces ».

J'ajouterai même qu'il vous faut renoncer à « comprendre » ce que je vais vous partager.

C'est beaucoup vous demander, n'est-ce pas?

À n'en pas douter, ce sera la partie la plus laborieuse de notre rencontre.

Je me refuse obstinément à mettre de l'ordre dans mes idées: la matière en question ne relève pas du savoir, elle est de l'ordre du « sentir ».

Aussi importe-t-il de vous établir dans un état de contemplation, comme il vous arrive de le faire quand vous vous attardez le soir devant un beau couchant[2].

DEUXIÈME REMARQUE

Vivre de peu

Il y a deux manières de former un enfant: celle de l'école et celle de la maison.

---

[2] Vous pouvez persuader quelqu'un d'acheter un aliment de votre fabrication en lui énumérant tous les ingrédients qui entrent dans sa composition, mais il est beaucoup plus simple de lui faire goûter à la préparation et de le gagner par l'expérience de la saveur.

À l'école, on lui enseigne des matières bien définies; à la maison, on lui moule le cœur dans une atmosphère de paix et de communion.

Et quand une personne désire entrer dans vos bonnes grâces, trois voies s'ouvrent à elle :

a) elle peut accumuler des arguments ;

b) elle peut énumérer la liste complète de ses qualités et de ses performances ;

c) elle peut vous gagner le cœur par la seule esquisse du sourire que votre présence a provoqué chez elle.

Vous l'avez deviné, c'est cette dernière approche qui aura ici la part du lion.

– Il suffit de si peu de chose pour vivre !

Et il suffit de si peu de chose pour donner aux autres de vivre à plein !

TROISIÈME REMARQUE

Nous ne pouvons compter sur des changements dans nos attitudes et nos comportements.

La vie nous met en présence de vérités que nous réussissons à contourner pendant la majeure partie de notre existence.

Les occasions de confrontation ne nous manquent jamais.

Les évidences nous interpellent sans répit, mais nous ne nous ouvrons à leur message qu'au jour où nous sortons des sentiers de la peur, c'est-à-dire quand nous sommes en mesure de subir le test de la vérité de façon « victorieuse ».

Ainsi en est-il de l'enfant qui s'éveille aux défis de l'âge adulte à l'heure seulement où il est en mesure de les relever.

Notre nature nous protège contre notre faiblesse : il vaut mieux pour moi être privé d'une bonne chose que de voir ma fragilité engloutie par son acquisition.

Quand l'interrogation approche, quand je la sens monter en moi, quand j'ose y prêter attention, c'est le signe que je suis mûr pour en faire mon profit et mon bien.

L'impossible objectivité

Paul Valéry a écrit cette étonnante pensée qui force notre réflexion :

« Si tu m'es antipathique, inutile pour toi d'accumuler les arguments dans le but de me faire accepter ce que tu dis, car alors ce ne sont pas tes idées que je refuse, mais c'est ta personne que je rejette. »

Que prétendons-nous partager ensemble si nous n'avons pas d'abord la sagesse d'entrer en communion les uns avec les autres ?

Sans un accord entre nos êtres profonds, les arguments les plus persuasifs ne serviraient qu'à élever d'un cran les barrières qui nous séparent déjà.

Nous n'amenons pas un adversaire à partager nos vues en détruisant ses certitudes pour lui imposer les nôtres, mais en mettant au jour sa lumière et sa richesse d'être, par l'admiration sans feinte que nous lui portons.

L'objectivité dont on parle tellement, l'histoire s'en moque.

N'en doutons pas ; en dehors de l'amour, seul l'intérêt guide nos décisions.

Danger de la profanation

Il existe déjà un lien entre nous, celui de l'intérêt que, tous, nous portons au mourant.

Mais à lui seul, ce lien est nettement insuffisant.

Il importe avant tout que nous entrions en communion les uns avec les autres.

La chose va loin : j'ose dire que si nous sortons de ce colloque avec, comme seul bagage, des conclusions capables de révolutionner les approches du mourant, approches qui s'imposeraient à l'attention du monde entier, nous aurions alors profané le meilleur de nous-mêmes, le meilleur du mourant et, surtout, le meilleur de ce colloque.

Ce serait agir comme le père de famille qui ne trouverait plus le temps d'être présent aux siens, parce qu'il est trop occupé à gagner de l'argent pour assurer leur bonheur.

Nous établir en état de communion

Est-il bien évident pour chacun de nous que le but premier de ce colloque est notre harmonie personnelle et notre harmonie de groupe?

Est-il évident que nous ne pourrons donner que des miettes au mourant si nous ne sommes que des «demi-vivants», c'est-à-dire des êtres qui ne sont pas en communion avec eux-mêmes ni avec les autres?

Comment prétendre faire la lumière autour de nous si nous ne commençons pas par asseoir notre être au cœur de sa vérité, ce qui n'est possible que si nous arrivons à nous établir d'abord en état de communion?

C'est la première de toutes les urgences.

Sans l'assurance d'une acceptation inconditionnelle, notre cœur refusera toujours de se livrer, et il a parfaitement raison d'agir ainsi.

Que d'énergies inutilement dépensées pour avoir trop souvent oublié ces lois trop simples!

Se pourrait-il que tous les défis semés sur nos parcours, à commencer par ce colloque, aient comme première mission de nous ramener à nous-mêmes avant de nous rendre plus attentifs aux besoins du mourant?

Nous cherchons des solutions à nos problèmes et, quand nous parvenons à nos fins, nous festoyons volontiers, *même si notre propre intérieur reste en chantier.*

BESOINS DU MOURANT

Place à la poésie

Avez-vous déjà pensé qu'avant toute chose le mourant pourrait être en quête de « poésie » ?

de quelque chose qui se rapproche étrangement de cet univers où l'enfant respire ?

de quelque chose qui, relevant d'un autre ordre de valeurs, se situe beaucoup plus près de la folie que de la raison ?

de quelque chose qui est en lien de parenté avec l'illogisme de l'amour et de la beauté ?

Le « recevoir » pur et simple

Il est rare qu'on s'arrête à penser que, dans la dernière des détresses, le mourant pourrait aspirer à cette sorte de bien, avant tout ce que notre propre insécurité et notre désarroi pensent spontanément à lui offrir ; que, sans être en mesure de le verbaliser, il pourrait attendre de nous voir créer en sa faveur des espaces pour l'avènement de la liberté, du miracle et de l'impossible.

Le mourant n'a plus le choix : dans son cas, l'heure des solutions d'ordre pratique est révolue.

L'urgence pour lui est trop profonde et trop prenante : les solutions « *ordinaires* » ne font plus le poids.

L'avènement de la poésie s'impose, c'est-à-dire l'« évocation » de l'essentiel et de l'insaisissable.

C'est une relâche à la fois redoutable et comblante pendant laquelle nous pouvons nous dispenser enfin de l'obligation où nous sommes depuis toujours d'avoir à tout « conduire » et à tout prévoir.

C'est l'heure du « recevoir » pur et simple.

Scandale !

Se nourrir à même ses réserves

Le mourant est face au pur inconnu, et le plus grand des inconnus pour lui n'est pas cet univers où il descend, avec angoisse peut-être, mais l'espace infini de son propre cœur à qui il a toujours négligé de porter l'attention qu'il méritait.

Sans le savoir, son fond incertain attend de se voir visité par un être qui a réussi à assumer sa solitude pour en faire la meilleure part de sa vie ; par un être qui a appris à se nourrir à satiété à même ses propres réserves, ce qui est la chose la plus rare au monde en même temps que l'expérience la plus riche qui soit.

Se peut-il que le mourant espère de vous une pareille chose avant même tous les soins que son état requiert, avant surtout toutes les paroles de réconfort que vous pourriez inventer ?

Allez-vous le décevoir, ou répondre à son attente ?

NOTRE CRAINTE DE LA LUMIÈRE ET DE LA VIE

Prendre conscience du gaspillage

Permettez-moi d'énoncer une autre loi qui se situe à l'intérieur du registre où je me place aujourd'hui avec vous.

Saviez-vous qu'il est « anormal » pour nous de « vivre » ?

Saviez-vous qu'il est plus facile pour nous d'affronter la *mort que de nous laisser gagner par la vie ?*

Saviez-vous que nous étions beaucoup plus familiers des chemins de la mort que des chemins de la vie ?

Je ne pense pas ici, vous l'aurez compris, au manger, au dormir et au « respirer ».

Je parle de l'abandon confiant aux mains de la vie, lesquelles *préparent en nous la réalisation du rêve qui dépasse nos attentes incertaines.*

On nous invite sans répit à tout dominer, alors que le défi consiste à faire confiance à une force mystérieuse qui œuvre en notre faveur.

Nous nous sommes débattus pendant toute notre vie contre une armée d'ennemis que nous reconnaîtrons un jour n'avoir été que des forces bienveillantes destinées à nous accomplir.

C'est bien tardivement que nous arrivons à prendre conscience de ce gaspillage d'énergie !

La crainte de la communion

L'enfant hésite à quitter la tiédeur du sein maternel pour être projeté au-dehors.

De la même manière, nous fuyons les enjeux qui risquent de nous révéler à nous-mêmes.

Comme si notre mystère intérieur nous effrayait, parce qu'il a trop d'envergure et de profondeur.

En fait, c'est le « demi-sommeil » que nous acceptons le plus volontiers.

Les extrêmes, eux, nous effraient : l'extrême de la vie tout autant que l'extrême de la mort et, plus encore, l'extrême du bonheur et celui de la communion.

Une trop grande intensité nous affole.

Dans le blanc de l'objectif

Il est bien possible que vous tentiez de vous défendre contre ce que j'essaierai de vous présenter, en alléguant que mon discours se situe en dehors du sujet.

Ce réflexe de protection, je veux vous faire voir qu'il sera provoqué chez vous, tout au contraire, parce que j'aurai visé avec une trop grande précision dans le blanc de l'objectif : vous vous sentirez probablement menacés.

Notre demeure est habitée

Quand deux personnes ont le coup de foudre, *chacune d'elles découvre l'infini dans l'autre avant même de l'avoir découvert en soi !*

Ce qui prouve à quel point nous sommes étrangers à nous-mêmes.

Nous sommes incapables de vivre chez nous.

Nous avons besoin qu'un autre vienne nous dire qu'il y a quelqu'un en notre demeure : nous-mêmes.

La méconnaissance de ce que nous sommes est notre tout premier mal.

Il vaudrait mieux dire notre seul mal !

Le mal qui demande à être guéri

La méconnaissance de ce que nous sommes fait de nous des êtres séparés de la vie.

Et cette forme de mort est incomparablement plus tragique que n'importe quelle mort physique ou psychologique, intellectuelle ou morale.

Et c'est de cette maladie « radicale » que le mourant a besoin d'être guéri avant tout.

Oserez-vous le croire ?

IMPOSSIBLE PREUVE

De l'ordre de l'intuition

Si ce que j'avance actuellement est vrai, c'est toute notre approche du mourant qui doit être remise en question.

Il importe donc de bien établir la véracité de cette affirmation.

C'est ce à quoi je voudrais m'appliquer maintenant.

Mais, précisément, c'est là une réalité qui ne s'apprend ni ne se prouve.

Elle n'est pas de l'ordre de la science ni de l'ordre de l'intelligence, elle relève de l'intuition de l'amour.

Les lois de la conquête sont révolues

Une source intarissable de souffrance, dans notre vie et dans celle des autres, vient de ce que nous réservons au seul domaine affectif, à peu près, cette faculté que nous avons de saisir l'essentiel et d'atteindre à la plénitude dans cette espèce de miracle instantané qu'on appelle le « coup de foudre ».

Habituellement, cet état d'intensité diminue avec le temps, et rares sont les personnes qui y sont installées à demeure.

Mais il n'y a pas que le coup de foudre pour nous conduire au terme.

Quand, de façon permanente, nous serons rendus à nous-mêmes, nous pourrons, dans un trait de feu instantané, atteindre jusqu'en leur dernier centre les personnes, les choses et même les événements.

Arrivés à ce palier d'existence, nous constaterons que les réalités de la vie ne se propagent pas à coups de preuves et d'arguments, mais seulement par émanation et rayonnement.

Le temps est arrivé où les lois si pénibles de la conquête sont révolues.

Au monde de la vie, il n'y a de place que pour la « vibration » et l'« irradiation » de l'être en pleine harmonie avec lui-même, quelque chose comme ce qui se passe dans l'ordre physique quand, sous l'action vivifiante du sang qui recommence à circuler[3], la chaleur se répand dans vos membres refroidis.

---

[3] La parole n'a pas de valeur en elle-même, mais seulement dans la mesure où elle permet à la vie qui dort en nous d'éclore et de s'éveiller.

LA MANIÈRE

L'irrésistible fruit

Cette « charge de vie » qui doit émaner de votre personne et atteindre l'autre jusque dans ses racines ne surgit pas à la suite d'un « effort » de votre volonté, comme si, dans l'ordre affectif, il suffisait de vouloir aimer une personne pour tomber effectivement en amour avec elle.

Personne n'a besoin d'aller à l'école pour savoir comment déclencher le coup de foudre !

Pour être efficace dans l'ordre de la vie, votre agir doit être imprégné de saveur, à la manière d'un délicieux fruit mûr qui est là, disponible, au bout de la branche, gavé de soleil et irradiant son arôme pour vous obliger à le cueillir.

C'est irrésistible !

Une force qui ne menace pas

Avez-vous songé : si, au contact de votre paix, l'éveil à sa propre richesse était tout ce que le malade en phase terminale attend de vous ?

Son capital *n'a besoin que de se voir « actualisé »* par ce qui se dégage de votre personne : une énergie à caractère bien particulier parce que, à l'encontre de vos élans habituels de générosité envers les autres, cette force a le don *d'inviter* ceux qu'elle côtoie à venir la rejoindre au cœur du repos, le vôtre.

En effet, une force qui « s'impose », ou une force qui ne fait que « se proposer », est toujours menaçante de quelque façon.

Mais une force qui se contente d'inviter seulement, en laissant voir ce qu'elle possède de grâce et d'aisance pacifiée, ne menace d'aucune manière.

C'est là ce que j'ai toujours été

Celui qui va franchir l'ultime étape de son cheminement a besoin de se voir éveillé à cette réalité si captivante, incarnée chez vous, pour soupçonner qu'il est, lui aussi, porteur de cette grandeur et de cette beauté.

Il n'a même pas besoin d'en prendre explicitement conscience : il lui suffit qu'à votre contact son noyau intérieur se surprenne en état de veille, pour se laisser tenter par l'abandon à ce mystérieux pouvoir qui porte en soi des fruits d'une telle consistance et d'une telle qualité.

Parce qu'il est aux portes de la vérité et infiniment attentif aux moindres vibrations de la vie, lui que la mort cerne de toutes parts, il n'a besoin que d'une faible évocation des valeurs qui demeurent, pour céder à l'invitation de ce bien souverain qui s'éveille au fond de lui et lui donne accès à une qualité de paix qu'il n'a jamais expérimentée.

Il se passera en lui quelque chose qu'il pourrait formuler comme ceci :

« Je ne le savais pas, mais c'est cela que j'attendais de toi.

La source de ce mystérieux bien-être était déjà au fond de moi, mais je n'en avais jamais pris conscience.

C'est ce que je ‹ SUIS ›.

C'est ce que j'ai toujours été. »

La vie n'a plus de secrets

Le souffrant a la même réaction que le malade épuisé à qui vous tournez son oreiller.

Il n'avait pas pensé à cette forme de soulagement et il comprend qu'effectivement sa tête enfiévrée attendait de vous ce bienfait.

Vous avez prévenu son désir.

À un niveau plus profond d'intervention, vous avez la joie continuelle de pouvoir créer, prévenir et prophétiser.

La vie n'a plus de secrets pour vous.

Vous êtes avec elle comme deux personnes en amour qui ne peuvent plus rien se cacher parce qu'elles se devinent mutuellement.

Il vous suffit d'être vous-mêmes

Je vous parlais plus haut des victoires de la vie qui se réalisent « sans efforts ».

Cette qualité de victoire ne nous est pas familière.

Pourtant, l'eau que vous buvez, croyez-vous qu'elle doive se faire violence pour vous désaltérer ?

Vous le savez bien, il lui suffit d'être elle-même.

C'est tout ce que vous exigez d'elle, n'est-ce pas ?

Le malade ne vous demande rien de plus que votre être *en douceur d'harmonie.*

Le jour où *vous serez rendus à vous-mêmes,* tout ce qui bouge autour de vous s'épanouira par vous.

Vous n'aurez qu'à assister, avec un étonnement toujours nouveau, aux miracles qui s'échapperont de vos mains.

Une joie autonome

Mais attention : les miracles de la vie n'ont pas un style flamboyant.

L'air et l'eau, choses essentielles, sont sans couleur et sans saveur.

À l'image de ces deux éléments, la vie est sobre et infiniment discrète.

Si vous empruntez ses sentiers, votre agir échappera aux regards de tous les distraits.

Souvent, le grand malade lui-même ne sera pas en mesure de distinguer la source à laquelle il vient de s'abreuver.

Mais la transparence de votre fécondité vous remplira le cœur d'une joie inégalable.

Votre joie sera alors devenue autonome.

Donner ainsi naissance à votre joie, sans avoir à toujours l'attendre des autres, fera de vous des *« vivants »* à temps plein.

Rien d'appréciable comme d'avoir chez vous le principe même de votre bonheur !

LOI DE LIBERTÉ

La vie agit sans bruit

Aucune loi ne vous est imposée, sinon celle de la conquête de votre harmonie et de votre plénitude[4].

Le défi que la vie vous propose n'est pas de l'ordre de l'héroïsme, au sens où nous l'entendons, mais un retour à la simplicité et à la transparence, à l'aisance et à la grâce.

Comme elle est difficile à apprendre, cette leçon !

Croyez bien que ce n'est pas en vous crispant devant de tels objectifs que vous entrerez dans leur atmosphère de détente et de calme infini.

La vie féconde le monde sans bruit, à l'image de l'aurore muette qui embaume déjà le jour qui vient.

Les couleurs de l'aurore

Le mourant est impuissant devant la mort.

Et nous sommes impuissants devant le mourant.

Dans ces conditions difficiles, pour atteindre à la plus grande efficacité, *il nous faut en arriver à faire le moins d'efforts possible*[5].

---

[4] Il n'y a que des degrés d'intensité successifs auxquels nous sommes tous conviés de l'intérieur.

[5] Mon impuissance devant le mourant me renvoie à l'obligation de travailler à ma propre harmonie.

C'est là le premier rôle du mourant que j'assiste et c'est aussi, c'est surtout, la manière la plus efficace que j'ai de lui venir en aide : accepter de me

C'est déconcertant, il faut en convenir !

Et encore, pour arriver à vivre ainsi sans efforts ni tensions, vous n'avez aucun effort à fournir.

Cette transformation ne relève ni de votre volonté ni de votre intelligence.

Elle est trop importante et trop radicale pour être produite par vos facultés.

Vous devez être attentifs aux signes qui viendront vous dire qu'effectivement vous en êtes là.

À votre heure, vous vous surprendrez vous-mêmes à rayonner avec cette *discrétion joyeuse* qui est la couleur de l'aurore.

C'est alors que vous serez en mesure de constater à quel point les « efforts » de toute votre vie n'auront été le plus souvent que la manifestation du manque de respect que vous aviez envers vous-mêmes, d'une incapacité à accepter vos limites, et d'un défaut d'attention à la véritable condition de l'autre.

Vous vous êtes sentis menacés et vous avez réagi en aveugles.

Le repos de l'enfant

Pour dormir en paix, un enfant a moins besoin d'un bon lit que d'affection et de tendresse.

Avec le capital immense de l'amour, il pourra reposer aussi bien sur le plancher de la cuisine que sur le premier coussin rencontré.

Étrange expérience : avez-vous remarqué à quel point l'enfant qui dort à poings fermés peut nous emporter loin dans les profondeurs du repos ?

Il y a là quelque chose d'infiniment plus grand que le simple repos réparateur d'un jeune organisme en santé.

laisser travailler en profondeur par ma vérité quand je ne puis plus intervenir en faveur de l'autre.

Le message à donner

Eh bien, le mourant attend de pouvoir sonder en vous l'existence de cette zone mystérieuse où, pour lui qui manque d'oxygène, une autre forme de respiration est possible.

Inconsciemment, il est en attente de celui qui, par sa paix inaltérable, lui laisse entendre un message qui pourrait ressembler à ceci: « *Ta mort est si peu de chose auprès de cette plénitude que je pressens là, quelque part au fond de toi.*

La chose existe, et elle peut devenir réalité pour toi: vois, moi-même j'y communie déjà. »

LOIS

Un cœur en exil

Je vous citerai une autre de ces lois déstabilisantes qui sont le propre de la vie.

Ce mode, si profondément réconfortant, d'intervention auprès de celui qui est dans le plus grand besoin, si vous désirez qu'il donne toute sa mesure et qu'il ait toute son efficacité, il faut que vous en receviez une plus grande satisfaction que le mourant lui-même.

C'est agir contre nature que de faire vivre les autres par le sacrifice de votre joie.

Celui qui donne et qui se donne, mais qui le fait sans joie, est un être séparé de son propre cœur.

SON CŒUR NE LUI APPARTIENT PAS!

Comment pourrait-il prétendre engendrer la vie chez l'autre, lui dont le cœur est en exil[6]?

---

[6] N'est-ce pas l'amour qui éveille les mécanismes de la fécondité, même si la science s'entête aujourd'hui à nous persuader du contraire?

Et il faut aller jusqu'à dire que nos proches, dans leurs triomphes ou dans leurs impasses, ne sont là que pour nous acheminer jusqu'au centre de nous-mêmes.

Un miracle au quotidien

C'est par la surabondance de votre vitalité que vous pouvez atteindre jusqu'aux couches profondes de l'être chez vos semblables.

Quand elle donne son fruit, la vie commence toujours par béatifier la main qui le porte et qui l'offre, avant de satisfaire celui qu'elle veut rejoindre.

C'est là un miracle au quotidien, un miracle auquel nous sommes malheureusement très peu attentifs et qui pourrait remplir toutes nos journées de soleil et de célébration silencieuse.

Le geste qui comble

Que penseriez-vous d'une fleur qui, pour s'ouvrir à la lumière du jour, en deviendrait laide de tristesse et en resterait marquée à jamais ?

Ou bien, quelle joie pourrait vous apporter une personne qui, pour vous sourire, devrait consentir un tel effort qu'elle en grimacerait de douleur ?

Bien plus, dans l'ordre de la vie, vous n'avez pas le droit de puiser dans vos ressources pour soulager l'autre ou pour l'enrichir, comme c'est le cas, par exemple, dans le partage des choses matérielles où vous devez vous déposséder de ce que vous donnez.

C'est une erreur trop fréquente chez nous d'agir dans le registre de la vie comme on le fait dans le commerce et les mathématiques.

Ici, nous ne pouvons enrichir les autres qu'en augmentant notre capital, non en le mutilant.

Au monde de la vie, on ne peut rien pour l'autre si le geste posé ne comble pas d'abord celui qui le pose.

Par excès de vie

Si, dans l'ordre ordinaire des choses, le facteur par exemple peut, sans aucune sorte d'émotion, vous apporter une lettre qui vous donne, à vous, un immense bonheur, dans l'ordre de la vie, il vous est impossible de donner du bonheur, un bonheur que vous ne vivriez pas d'abord au fond de vous.

Ici, les lois qui président au mini-loto sont inexistantes.

Vous ne pouvez pas allumer d'incendie si vous ne consentez pas à être le feu qui est au cœur du brasier.

Tout cela parce que, en ce qui concerne l'être, toute genèse n'est que le produit d'une surabondance et d'un excès de vie.

ATTENTION

Un mensonge qui a trop duré

Toute notre vie durant, nous avons attendu l'indulgence et la bienveillance des autres pour respirer en paix hors des zones tourmentées de la peur, mais c'est uniquement dans l'indulgence envers nous-mêmes que notre sang recevra la permission de circuler librement dans nos veines.

Vous êtes épiés par le mourant qui sonde le terrain partout autour de lui, afin de vérifier si quelqu'un n'aurait pas eu accès à ce chemin, car, pour lui, il n'y a plus d'autre voie.

Le fond de l'humanité charrie tant de malaise, d'insatisfaction et d'angoisse !

Quand, chez le mourant, ce capital négatif émerge soudain dans la lumière et la vérité auxquelles il ne peut plus se dérober, l'appel vers un impossible miracle jaillit avec une force inconnue jusque-là.

Et le témoin qui tente maladroitement de minimiser la profondeur de cet appel se fait le collaborateur d'un mensonge qui a trop longtemps duré.

La stérilité de la technique

La technique est décevante, et c'est bien qu'il en soit ainsi.

Elle veut nous informer par là que nous ne devons jamais l'utiliser sans avoir la communion comme *premier* objectif.

La technique qui ne tend pas à la communion n'est qu'un outil au service d'un monde sans âme.

Elle pourra opérer des prodiges, mais jamais la vie ne réussira à fleurir au bout de ses branches.

Et se réjouir, sans plus, des performances auxquelles elle peut atteindre est un acte stérile qui ne fait pas avancer l'humanité d'un seul iota.

Ce n'est qu'au moment où celui qui l'utilise a atteint jusqu'aux sources de la vie que, miraculeusement, la technique peut elle-même commencer à donner la vie.

L'attente du mourant

Avez-vous une idée du genre d'hérésies auxquelles est susceptible de conduire cette logique de la vie qui vient introduire le mauvais temps dans le ciel bleu de nos beaux raisonnements ?

En voici un exemple : il est plus important d'être vrai avec moi-même, de m'établir dans les profondeurs de ma paix et dans la richesse de mon harmonie intérieure que d'être attentif aux besoins du mourant.

Et ce renversement des choses, c'est le mourant lui-même qui le réclame, avant et plus que tous les autres !...

Le mourant est avant tout celui qui m'invite instamment à descendre jusqu'au fond de ma vérité.

C'est le plus efficace de tous les services que je puis lui rendre.

Face à lui, il importe d'abord de me mettre à l'écoute de mon propre mystère.

Sans en être conscient et sans le désirer explicitement, le mourant est à l'affût de cet événement salutaire.

Communication par osmose

S'il vous arrive un jour de basculer du côté de la vie, et qu'un mourant puisse bénéficier du spectacle de votre personne tellement enfoncée dans les couches profondes de l'être qu'elle en arrive à demeurer dans une paix inaltérable même en présence de la mort qui rôde tout autour, insensiblement, l'agonisant acceptera lui-même de glisser dans cet univers où il semble faire si bon de vivre.

Le miracle, il est là, à la portée de votre main.

Il vous faut d'abord bien comprendre et être persuadés que, dans l'ordre de la vie et de l'amour, il est une forme supérieure de communication qui se situe au-delà de la parole et du geste, c'est celle qui se réalise par *« osmose »*.

Terre riche mais sans eau

L'essentiel ne peut être véhiculé par la parole ni par le geste.

Et cette forme éminente de langage qui se réalise par osmose n'est pas seulement la plus parfaite *mais surtout la plus béatifiante*.

On n'a pas besoin d'expliquer une chose comme celle-là à des amoureux : ils la découvrent spontanément, sans avoir à la chercher.

Ils sont dans la logique de l'amour : ils en subissent les lois libératrices et *« joyeusement »* efficaces.

Mais la science oublie si facilement ces lois : elles sont trop sérieuses pour elle, comme dirait Paul Evdokimov.

La science, par elle-même, n'est pas féconde : elle est comme une terre riche mais sans eau.

Là où la dent de la mort ne peut mordre

Si nous sommes impuissants à arracher sa proie à la mort qui approche,
si nous sommes tellement démunis devant celui qui ne peut plus s'aider lui-même,

s'il nous est interdit d'accompagner plus avant celui qui va nous quitter,
c'est que notre rôle est ailleurs et autre.

Il nous faut atteindre en nous à une zone de vérité qui nous situe d'emblée au-delà des emprises de la mort.

Nous devons avoir accès en nous à ce lieu où la dent de la mort ne peut trouver à se nourrir[7].

Nous entrons alors dans des espaces qui nous libèrent d'une multitude de peurs, de contraintes et d'esclavages.

Nous baigner dans les eaux de la vie

Hésitez-vous à croire qu'une si grande fragilité, la vôtre, puisse aspirer à un « état » aussi enviable ?

Avez-vous remarqué que la lumière d'une faible bougie peut résister victorieusement à la plus profonde des obscurités ?

La petite flamme vacillante peut se permettre de donner libre cours à sa danse joyeuse, au moment même où elle est cernée de toutes parts par les ténèbres les plus épaisses.

C'est ainsi qu'il vous suffit d'avoir baigné un seul instant dans la douceur infiniment calme des eaux de la vie pour que votre lumière conduise le mourant dans cet océan de paix auquel il

---

[7] Nous ne devrions jamais oublier que les personnes ne sont pas là pour accomplir des fonctions, mais qu'au contraire les fonctions sont là pour accomplir les personnes.
Quelle inacceptable révolution !
Le mourant n'est pas là d'abord pour susciter notre dévouement, mais pour nous acculer à « être », nous qui ne pouvons le sauver autrement qu'en lui donnant le témoignage le plus réconfortant qui soit, celui de pouvoir contempler un être aussi faible que lui, assis dans une paix que rien ne vient troubler, pas même la mort qui est là, tout près. Le malade dispose d'une antenne infiniment sensible pour détecter si votre calme est le fruit de l'indifférence ou celui de la vie.
C'est inviter le mourant à se situer là où la vie l'appelle, au plus profond de sa paix.
C'est lui permettre d'échapper lui-même à la mort qui le guette.

n'ose pas croire encore, mais qu'il appelle pourtant de tous ses vœux.

Installés dans l'impossible pays

Si vous pouviez seulement pressentir avec quelle intensité celui qui combat contre les forces obscures de la mort attend votre témoignage de vie pour s'ouvrir à l'inespérable !

Tout son être est tendu vers ce qui demeure, vers ce qu'il y a au-delà de ce qui passe, au-delà de tout ce qui lui est violemment arraché.

Le mourant attend un signe lui montrant que cet inconnu où il glisse insensiblement est habité d'une lumière et d'une paix sans frontières.

Quel réconfort de savoir que quelqu'un, tout près de lui, est déjà installé dans cet impossible pays et qu'il l'invite à y entrer lui aussi !

La preuve lui en est donnée, parce que celui qui est là, à son chevet, est davantage présent à cette autre lumière qu'à la détresse de celui qui se débat contre la mort.

Au-delà de la communication

On entend ici la vieille rengaine, à savoir que l'on meurt seul.

Nous aurons beau avoir près de nous ceux que nous aurons le plus aimés, peu à peu, nos sens enlisés vont nous couper de leur présence.

La chose est vraie, mais uniquement pour ceux qui n'ont jamais percé le mur des lieux communs.

Tout au contraire, c'est seulement au-delà de la communication habituelle, qui se fait par les sens ou l'intelligence, que la véritable communion peut s'établir entre les personnes.

Enraciné dans son essentiel

Le mourant n'espère rien d'autre de nous que le son pacifiant de notre harmonie pleine, celle qui se joue en dehors des zones habitées par la peur et par la mort.

Il est en attente de l'accord sécurisant d'un être qui, par une partie de lui-même, touche déjà quelque chose de cette force immuable qui ne manque jamais plus à notre espérance et qui échappe mystérieusement aux bouleversements qui menacent tous les mortels.

Ces bouleversements, le témoin continue de les subir comme tous les autres, mais sans se voir en aucun temps déraciné de son essentiel.

Ce spectacle d'un « vivant » qui demeure installé dans la paix, au cœur des pires orages et jusqu'au-delà des zones perturbatrices de la mort, est le bien le plus satisfaisant qui soit pour tous ceux qui sont en attente de paix et qui n'ont pas encore la force de croire que ce chemin leur est ouvert à eux aussi.

Dans le blanc de la vérité

Ici, vous allez penser que vous êtes bien incapables d'une telle approche.

Ce miracle, il est en vous, et vos mains attendent de lui livrer passage.

C'est un message qui atteint au-delà de ce que peuvent opérer la seule parole, le geste et la technique.

Il n'est pas de langage plus persuasif que celui de la vie.

Il est incapable de mentir, à nous et aux autres.

Et surtout, il n'est pas de langage plus universellement reconnu : aucun humain ne peut demeurer indifférent à ce qu'on pourrait appeler le « toucher de l'être ».

Immanquablement, il atteint l'autre dans le blanc de sa vérité,
avec une précision jamais prise en défaut,

avec un doigté qui désarme toute résistance,
en même temps qu'il donne naissance à la plus haute forme
de bonheur qui soit.

Surpris par la communion

Il est possible d'aller transformer le sanctuaire inviolable
d'une personne sans rien profaner chez elle, sans franchir le
seuil de ses espaces interdits.

Plus que cela, on ne peut avoir véritablement accès à son
semblable qu'en se tenant à distance de lui, un peu comme on
s'éloigne d'une montagne pour mieux en admirer les cimes.

Notre mystère a trop d'envergure : il gagne à être contemplé de loin.

Nos expériences humaines les plus substantielles sont celles
qui se jouent en dehors des chemins battus, lesquels nous em-
prisonnent trop souvent dans la banalité.

Le mourant, par le fait qu'il est graduellement coupé de
nous, nous oblige à changer de palier et à gagner une voie
supérieure de communion avec les autres.

Plus tu respectes les distances, plus tu facilites le passage de la
vie, et plus tu es surpris par la communion.

Le cri condamné au silence

Si un tel défi nous est proposé, c'est que nous disposons des
ressources nécessaires pour le relever.

Ceux qui sont descendus jusqu'aux racines de leur être peuvent accompagner le mourant jusqu'au-delà du mur infranchis-
sable de la mort.

Il serait cependant plus juste de dire que c'est le mourant
lui-même qui s'invite chez le « veilleur », parce qu'il a senti
bouillonner là quelque chose qui s'apparente à une source à
laquelle il a déjà commencé à s'abreuver[8].

---

[8] Le mourant me rend l'éminent service de me renvoyer à mon besoin de
vivre.

La personne du mourant est l'incarnation du cri de toute l'humanité vers un « plus-être ».

Ce cri que, pendant notre vie, nous condamnons volontiers au silence, que nous tentons d'étouffer de toutes manières, il prend vigoureusement consistance dans la répugnance que nous éprouvons tous à mourir.

Le mourant s'agrippe instinctivement à tout ce qui passe, à ce qui est impuissant à fournir une réponse aux appels qu'il lance en toutes directions.

Il attend qu'on lui dise : « Laisse tout aller, lâche ; une autre force est là, qui peut t'accomplir.
Ne sens-tu pas que j'en vis déjà, moi qui suis près de toi[9] *?* »

DERNIER COMBAT

Pour s'être trop longtemps dérobé

– Confondu de faiblesse et d'impuissance,
– adossé aux portes angoissantes du néant,
– bouleversé pour la première fois de sa vie peut-être par le caractère tragique de son destin,

---

Mais la « vie » dont il est ici question n'est pas celle qui se limite aux fonctions biologiques ni même aux espaces d'ordre social ou psychologique.
Cette sorte de vivant ne résistera pas aux assauts de la mort.
Le mourant a besoin d'une autre catégorie de vivants que celle-là.
Et celui qui se penche sur le mourant se doit d'assumer le défi proposé, défi que la vie lui offre ; et il se doit de ne pas décevoir l'attente inconsciente du mourant.
Celui-ci veut qu'on lui fournisse la preuve que ce qu'il traverse n'est pas la dernière de ses défaites, mais le point culminant de toute sa vie, un appel à exister avec une intensité plus grande.

[9] Le mourant est arraché violemment à toute forme de fuite, d'illusion et de mensonge.
Sa vie durant, il aura mis tout en œuvre pour reculer l'ultime échéance.
Aujourd'hui, l'heure a sonné pour lui de faire retour à sa vérité première.

voilà que le mourant, paradoxalement, voit passer devant lui la possibilité d'un « *sur-accomplissement* ».

C'est au terme de sa course que le soleil est le plus majestueusement beau.

Mais pour celui qui est là, réduit à l'impuissance, la marche est trop haute : il a besoin d'aide.

De quel côté va-t-il basculer ?

Il suffirait de si peu de chose alors pour faire osciller la balance à droite ou à gauche.

Il « espère » « désespérément » qu'un coup de pouce viendra lui fournir la part d'audace qu'il n'arrive pas à se donner lui-même, parce que, trop souvent, il a évité de se compromettre et a choisi de se dérober.

À cette heure, il ne le peut plus.

La paix non falsifiée

Vous êtes là près de lui, mais incapables de l'arracher à sa détresse !

Comme il est important alors de savoir que l'intensité de la communion, quand elle atteint à sa plénitude et à la totalité de sa perfection, *peut résorber la parole et le geste, leur imposer le silence, pendant que l'essentiel est en passe de s'accomplir.*

Quand un artiste de grande classe est invité, il ne convient pas que nous fassions valoir nos maigres talents pendant qu'il s'exécute.

C'est ainsi que le langage *par « osmose »*, quand il a cours, exige que son action souveraine ne soit perturbée par aucun mode inférieur d'intervention.

En cet instant, seul le « savoir-faire » d'une main calme peut parvenir à communiquer sans parole aucune, et à soutenir effi-cacement, sans l'ombre d'un geste.

À ce moment, seule une paix non falsifiée peut donner l'expérience des choses que le langage et le geste ne peuvent cerner.

Un dévouement qui angoisse

C'est de cette manière que le mourant consentira à se laisser conduire jusqu'en son dernier centre de lumière, celui – il le perçoit à cette heure – qui avait toujours dormi au fond de lui, mais auquel il ne s'était jamais sérieusement arrêté[10].

Parvenue à cette étape, la personne du mourant, si elle pouvait verbaliser ce qu'inconsciemment elle espère, nous soufflerait à l'oreille:

> *« Es-tu plus vivant que moi, toi qui te tiens à mon chevet ?*
>
> *Tu sais, plus tu es compétent et efficace, plus tu es infatigable et dévoué, plus tu m'angoisses !*
>
> *N'aurais-tu que cela à m'offrir ?*
>
> *N'y a-t-il pas quelque part une porte que tu pourrais m'indiquer et m'ouvrir au besoin ?*
>
> *Car sur le plan biologique, tu ne peux plus rien contre cette mort qui m'enveloppe dans l'obscurité et le froid. »*

Au-delà des émotions

Son être, il le pressent, va se voir livré aux forces de la dispersion et de la désintégration.

En conséquence, il lui faut l'évidence qu'en vous la cohésion est inentamable, au moment même où les forces d'éparpillement vous assaillent.

Le mourant est un naufragé qui cherche désespérément un rocher auquel il pourrait s'agripper.

---

[10] Le mourant est un « vivant » à haute densité, parce qu'il est acculé à une situation où il doit faire des choix définitifs. Ce « vivant » qu'est le mourant attend à ses côtés la présence d'un autre « vivant » qui puisse le confirmer dans ce qu'il sent bouger en lui pour la première fois de sa vie peut-être.

La situation est trop grave pour lui: ses attentes se situent au-delà des émotions, ou d'une dernière marque de tendresse qu'à ce moment, dans notre désarroi, nous aimerions lui prodiguer.

En pays connu

Le mourant réclame la fermeté inébranlable d'un rocher.

Non pas seulement quelqu'un de bien intentionné qui consent à l'aider dans ce difficile passage, mais la chaleur d'une main qui puisse l'accompagner et, si c'est possible, le «conduire» là où il s'en va, le guider à travers cet inconnu comme dans un pays qui a déjà été parcouru et dont on connaît tous les carrefours et toutes les avenues.

Quelqu'un qui, par son calme, peut le persuader que ce qu'il vit n'est pas une fin mais un commencement, une entrée dans la paix, l'incarnation d'une espérance qu'il n'a jamais osé s'avouer à lui-même.

Révélation du capital intérieur

Seul un humain peut engendrer un autre humain.

De même, seul un vivant peut reconnaître la vibration particulière d'un autre vivant.

À ce niveau de perception, on ne peut pas se permettre de mentir, on en est incapable.

Un mort ne peut pas reconnaître un vivant.

Votre densité intérieure ne sera pas perçue par ceux qui, sans se questionner, jouissent à pleines mains des facilités de la vie.

De même, vous ne pouvez éveiller les autres à leur propre grandeur avant d'avoir inventorié votre propre espace intérieur.

Et remarquez que, tout au long de votre vie, vous avez attendu que les autres viennent vous révéler votre capital intérieur, par l'attention qu'ils vous portaient ou par l'amour dont ils vous entouraient.

C'est là tout le ressort de l'amour humain : la révélation par l'autre que votre valeur d'être a de quoi remplir toute une existence de bonheur.

Le mourant doit être fécond

Il y a de cela chez le mourant.

Quand ce dernier comprendra qu'il n'est plus seulement l'indigence qui attend tout de l'autre, mais qu'il est une personne-ressource pour ceux qui se penchent sur lui ; quand il fera l'expérience d'être vivant, parce qu'il donne la vie en vous remettant en question par le drame qu'il traverse, les soins palliatifs auront franchi le dernier mur qui les sépare du but qu'ils cherchent encore, comme à tâtons.

Le lieu de tout accomplissement

Pour le mourant, il n'y a plus d'échappatoire possible.

Nous devons le persuader qu'il n'est rien de plus gratifiant pour lui que d'expérimenter l'autre espace, celui où rien ne passe, où rien ne bouge, où rien ne cesse.

Non ! lui, le mourant, n'est pas une proie livrée à un obscur pouvoir contre lequel il ne peut rien, mais il est lui-même le lieu où tout est sur le point de s'accomplir [11].

L'heure des portes closes

Le message, on le comprend aisément, se situe dans un autre ordre que celui de l'« intervention ».

Là, il n'y a plus que la densité de votre être qui y peut quelque chose.

Nous donner bonne conscience après avoir tout accompli de nos devoirs habituels envers le mourant en oubliant « d'être »

---

[11] Et pour que ce commencement prenne racine, il doit tout abandonner des valeurs qui ont été les siennes jusque-là.

est une sorte de trahison envers nous-mêmes et envers celui qui va nous quitter [12].

Le mourant à qui la vie échappe nous renvoie aux véritables enjeux de notre existence : c'est l'heure des questions sans réponses et des interventions sans résultats.

C'est l'heure des portes closes et de la douloureuse révélation de ce que nous avons trop longtemps ignoré de nous-mêmes.

C'est l'heure où nous touchons aux limites de tout ce que nous avons pu apprendre et réaliser dans notre vie [13].

Sans espaces disponibles

Brusquement, les règles du jeu viennent de changer : nous n'avons pas le droit d'arracher quelqu'un à la maladie ou à la mort

si nous n'avons pas d'espace pour lui dans notre propre cœur ;

---

[12] Il faut nous laisser nourrir par lui.

Quel étrange revirement de situation !

Il est très rare que le mourant prenne lui-même l'initiative de retourner la situation.

Une femme de 54 ans a été frappée de plein fouet par une forme de cancer galopant qui l'a conduite à l'agonie en l'espace de quelques semaines.

Quelques mois auparavant, elle avait vécu un tournant majeur dans sa vie. Toutes ses valeurs avaient subitement changé.

Elle a traversé ce passage de façon telle que sa famille et ses amis en ont été bouleversés.

Elle a entraîné dans sa trajectoire mari, enfants et amis avec une force et un calme auxquels personne ne pouvait résister.

Une victoire de cette nature est exceptionnelle et rarissime.

La grande majorité des mourants n'en sont pas là !

Et c'est à ceux qui les assistent qu'il revient de prendre les choses en main.

[13] Toute notre vie durant, nous avions refusé de nous voir et de nous définir ; nous avions préféré fonctionner, réaliser et accomplir.

Nous sommes violemment tentés de nous refuser à l'évidence et de continuer à chercher des « passages » qui pourraient nous éviter le dernier questionnement.

si nous n'éprouvons pas de bonheur à perdre avec lui le meilleur de notre temps ;

si nous n'avons pas besoin de lui pour déverser en sa personne le meilleur de notre joie.

Comme un enfant qu'on embrasse

Vous ne pouvez ressusciter le mourant et l'arracher à son angoisse que par le raffinement de votre harmonie intérieure.

Tout ce que vous faites en dehors de cela ne sera toujours que du plâtrage et une mécanique décevante, pour vous autant que pour lui.

Vous aurez tout fait, vous serez allés jusqu'au bout du dévouement, mais sans atteindre le cœur du problème.

Si la technique s'efforce de ramener le malade à la vie, quitte trop souvent à l'abandonner ensuite à une autre forme de mort, la mort intérieure de la solitude,

la lumière, elle, conduit le mourant jusqu'à son terme ultime en lui noyant le cœur dans la douceur de la vie.

Elle transforme sa mort en un acte de « vie ».

Pouvons-nous nous permettre d'arracher quelqu'un à la mort si nous ne le recevons pas à la manière d'un miracle, comme la mère en larmes qui, avec effusion, embrasse son enfant qu'elle vient d'arracher aux flammes [14] ?

---

[14] Sans ce climat, mon intérieur sèche.

Sans ce climat, je suis convaincu qu'il n'y a pas de vie en moi.

Sans cette ambiance, je condamne l'autre à mourir non plus par le dehors, dans son organisme, mais par le dedans, ce qui est une forme de mort beaucoup plus éprouvante que la première.

Je l'installe dans une autre forme de mort, une mort intérieure, consciente et combien plus crucifiante que la mort physique, une mort qui n'en finit plus de durer, à l'image du supplice chinois de la goutte.

De la mort qui est un douloureux passage, nous l'installons dans une forme de vie qui n'a plus d'autre destination que celle de déguster la mort à doses imperceptibles et interminables.

RETOUR VERS LE SEIN DU PÈRE [1]

ÊTRE

Ce qui ne changera jamais

Ton être et ce qu'il est pour Dieu, ton Dieu et ce qu'il est pour toi : deux réalités qui sont de la dernière importance et qui ne changeront jamais !

Tu resteras toujours son enfant et il sera éternellement ton Père.

Tu ne pourras jamais rien ajouter ni retrancher à cela, ni à toi ni à Dieu !

La direction de la vie

Ton agir pourra changer ; ton être, non !

Et ton agir lui-même changera vraiment le jour où tu te découvriras comme un être immuable, inchangeable.

Ton agir ne sera plus alors que le reflet de ton être.

Il y a si longtemps que tu t'acharnes à améliorer ton être grâce à ton agir !

---

[1] Article paru dans la revue *La Vie des communautés religieuses,* vol. 42, n° 5, nov.-déc. 1984.

Le temps ne serait-il pas venu de « laisser » ton être « informer » ton agir ?

Depuis toujours, j'ai vu l'arbre produire ses fruits de la surabondance de sa sève.

Je ne me souviens pas d'avoir vu le fruit se mettre en tête de nourrir l'arbre fruitier.

Ah si ! Oui, quand, par la tempête, une branche chargée de fruits a été presque détachée du tronc au point de ne plus en recevoir la sève, je l'ai surprise à tirer sa subsistance des fruits qu'elle portait.

Mais ce renversement du mouvement de la vie, cet irrespect de « l'hygiène vitale » est précisément le signe d'une double mort, et celle de la branche et celle des fruits, lesquels se voient ainsi vidés de leur substance.

Miser sur les valeurs qui ne passent pas

L'intelligence de l'homme a du mal à comprendre en quelle direction circule la vie.

Nous soumettons volontiers notre être à la tyrannie des lois que nous inventons, lois issues de nos détresses et de notre stérilité.

Si la lumière et la vérité ont droit de cité chez toi, tu t'étudieras avec la dernière attention à gagner les rives de ton être afin de pouvoir évaluer correctement ton poids, soupeser toute sa richesse.

Dès lors, tu pourras miser sur cette valeur qui ne passe pas.

Par elle te viendront tous les biens.

L'être en rupture d'harmonie

L'enfant répugne toujours à gagner sa chambre pour le repos de la nuit.

Les adultes que nous sommes ont la même aversion quand il s'agit pour eux d'entrer dans le repos de la vie.

Mystère incompréhensible de l'être en rupture d'harmonie !

Devant pareil spectacle, on demeure confondu.

Et si le péché n'existait pas, il nous faudrait l'inventer comme la seule explication possible à un tel phénomène.

L'ÉCOLE

L'exilé ramené au cœur de la fête

Le cours d'eau ne sort de son lit que pour salir et détruire.

L'homme, prisonnier de lui-même, est un rêveur impénitent d'espaces interdits.

En lui, le Prodigue a constamment besoin de sortir pour connaître la souffrance, cette souffrance qui le conduira à découvrir enfin la nature du seul bonheur qui peut le combler.

Le bonheur à court terme de l'aventure a vite fait de se révéler comme un étau pour le cœur avide d'espaces spirituels.

La seule thérapie capable d'éveiller en nous l'authentique « mal du pays » est la souffrance et la solitude de l'être.

Ce sont là les deux sandales percées qui ramènent l'exilé au centre de la fête.

L'arôme incomparable du pain

Le jeune enfant n'arrive à « comprendre » que par la douleur qu'on lui inflige au siège.

Ainsi en est-il de notre « cœur endurci et lent à croire ».

Il lui faut expérimenter la souffrance de la faim et, souvent, être conduit à envier la nourriture des pourceaux pour découvrir enfin l'arôme incomparable du pain de la maison.

L'écho de la tristesse

À quelle école enverrons-nous donc notre cœur pour lui apprendre le goût des choses qui font vivre?

Nous serions bien naïfs de vouloir choisir à sa place, de prétendre lui épargner les courses exténuantes et inutiles dont il a faim et au bout desquelles, venant de cette maison à qui il a tourné le dos et qui sanglote en son absence, il percevra comme un écho de tristesse: on y vit mal sans sa présence!

L'unique valeur

L'admirable père qui, au moment du départ, s'est interdit de «moraliser» son fils écervelé lui a laissé entendre par là que rien au monde n'avait plus de valeur à ses yeux que son enfant.

À ce moment-là, le cœur du petit était incapable de prêter la moindre attention à autre chose qu'à son rêve dont les couleurs allaient bientôt s'estomper sous le flot des larmes.

Dans sa sagesse, le père a vite compris qu'il ne gagnerait rien à vouloir raisonner l'étourdi.

Ses remarques aboutiraient tout au plus à endurcir le cœur de l'enfant qui sentirait alors le besoin de se protéger, de défendre ses positions.

Aiguiser l'oreille du cœur

Admirable sagacité de la sagesse toute prégnante du père!

D'instinct, il a opté pour un autre parti.

Au lieu de crier la vérité à son enfant, il a choisi de lui aiguiser l'oreille du cœur par un excès de bonté qui frise l'irresponsabilité.

La flamme qui vacille

Dans un langage non verbal, il a fait appel à ce qu'il y avait de meilleur au cœur de l'enfant.

Il lui a fait confiance – traitement que le petit ne méritait d'aucune manière – en le jugeant capable de comprendre que lui, le père, était en désaccord avec le chemin où son fils s'apprêtait à circuler.

Il n'a pas cru bon de mettre les points sur les «i».

Et ce respect de la petite flamme de vérité qui vacillait toujours dans la conscience du cadet a reçu là son «arrêt de vie».

C'est ce qui facilitera le retour au moment où l'interrogation commencera à poindre, à la suite de la morsure de la douleur.

L'ordre ou l'amour?

Retenu de force, l'enfant risquait fort de se révolter contre l'autorité du père.

Quant à son désir brimé, il avait bien des chances de grandir jusqu'à l'exacerbation et d'éclater au grand jour, à l'heure où, enfin, le prisonnier aurait pu s'affranchir d'une tutelle indésirable.

À ce moment-là, la plongée dans le désordre eût demandé d'être plus profonde, tandis que la perspective d'un possible retour à la maison se serait estompée derrière une autorité qui s'était montrée plus soucieuse d'ordre que d'amour, plus attentive à sauvegarder ses privilèges qu'à laisser grandir ce qu'il y avait de meilleur dans l'autre.

LIBERTÉ

L'esclave incapable de liberté

Reste le problème de l'irresponsabilité paternelle et... de la nôtre, si nous allions prendre le parti d'agir comme lui.

Rien de plus admirable que cette grandeur d'âme dont Dieu fait preuve quand il dépose, pour ainsi dire, cette chose si belle et précieuse qu'est la liberté entre les mains et dans le cœur d'un peuple d'esclaves, encore incapable de l'assumer parfaitement!

Laissé à ton conseil

«Vois, je te propose aujourd'hui vie et bonheur, mort et malheur... Si tu écoutes les commandements de Yahvé ton Dieu, tu vivras... Si ton cœur se détourne, si tu n'écoutes point... vous périrez certainement...» (Dt 30,15-18).

«Ne dis pas: ‹C'est le Seigneur qui m'a fait pécher›, car il ne fait pas ce qu'il a en horreur. Ne dis pas: ‹C'est lui qui m'a égaré›, car il n'a que faire d'un pécheur... C'est lui qui au commencement a fait l'homme et l'a laissé à son conseil. Si tu le veux, tu garderas les commandements pour rester fidèle à son bon plaisir. Devant toi il a mis le feu et l'eau, selon ton désir étends la main. Devant les hommes sont la vie et la mort, à leur gré l'une ou l'autre leur est donnée. Car grande est la sagesse du Seigneur, il est tout-puissant et voit tout» (Si 15,11-18).

Aucune contrainte

Sous les apparences d'une négligence grave se dissimule ici la féconde pédagogie de Dieu.

L'enfant, sans être condamné, peut allègrement partir vers ce qu'il a choisi.

Il ne se rend même pas compte que le père lui a attaché une corde au cœur.

Puisqu'on ne l'a contraint à rien, sinon à une sorte d'admiration qu'il se garde bien de laisser paraître d'ailleurs, l'enfant n'aura jamais plus le loisir de pouvoir s'affirmer contre son père.

Le mineur qu'il est sait bien qu'il aurait pu être retenu d'autorité à la maison.

La dette cachée au cœur

Au contraire, ses exigences d'enfant gâté n'ont eu pour toute réponse que le respect accordé à ceux qui sont pleinement responsables et autonomes.

En retour de son arrogance – il exigeait ce qui ne lui était pas encore dû –, il vient de recevoir un surplus de révérence : il avait eu jusque-là l'amour et le respect auxquels tout enfant a droit, et voilà que son attitude outrageante lui mérite la déférence qu'on témoigne aux seuls adultes et aux personnes responsables.

Il se voulait libre, totalement, et le voilà chargé d'une dette, qu'il portera « cachée » dans un repli de son cœur d'enfant.

Il s'était éveillé avec la conscience d'avoir tous les droits de son côté, et le voilà devenu secrètement débiteur.

Il s'en allait, fort de sa précoce victoire, mais il avait subi une défaite qui mettra tout le temps voulu pour se faire accepter de lui.

JOIE

La béatitude des larmes

Les victoires de l'amour et de la vérité ne consentent jamais à fleurir dans l'humiliation du vaincu.

C'est la victoire qui est d'abord concédée à ce dernier, jusqu'au jour où il comprendra que le seul triomphe digne de lui est celui qui consiste à se reconnaître comme le vaincu qu'il a toujours été.

Et l'acceptation de cette défaite dans les mains de l'amour est la joie par excellence que Dieu a réservée à notre cœur meurtri.

C'est celle de Marie qui, en répandant tous les sanglots de son cœur sur les pieds du Maître, découvre l'ultime béatitude des larmes, perdues dans l'enceinte de la miséricorde.

Toute larme n'est qu'un martyre si elle tombe ailleurs qu'au cœur de la charité.

L'amour miséricordieux n'a d'autre capacité que celle d'accueillir toute l'eau de ma détresse.

Le poids d'un trop grand amour

C'est dans cette outre que la contrition est transfigurée en componction : étrange révolution dans le cœur de l'homme où la peur du châtiment dans la conscience du coupable se révèle moins grande que la joie éprouvée par celui qui pardonne ; où la crainte d'avoir contristé l'être aimé se voit anéantie dans la béatitude de celui qui dispense le baiser de la réconciliation ; où le souvenir amer du mal auquel j'ai consenti est plus facile à supporter que le poids d'un amour trop grand qui demande asile en mon être déchu.

La joie de Dieu : écho de la mienne

Ce n'est qu'au sommet de cette bouleversante rencontre qu'il est donné au cœur de l'homme de vivre enfin ce que Dieu lui réserve de plus grand.

La joie du Pasteur, ce bonheur que les quatre-vingt-dix-neuf brebis de l'enclos n'arrivent pas à lui fournir, je n'en suis pas seulement la cause ; cette joie, elle ne vient pas du seul fait que le Berger m'a sauvé de la mort ; cette joie, elle n'est pas le seul fruit du geste qui révèle le berger en ce qu'il a de plus beau et de plus profond ; cette joie, elle est poussée au bout d'elle-même, elle est manifestée dans toute sa dimension, elle acquiert son dernier fini au moment où je me rends compte qu'elle est, dans le cœur du Maître, le pur écho de la joie qui est en moi, celle que j'ai reçue de lui, mon Dieu ayant une aptitude infinie à amplifier les résonances de vie dont mon être se voit traversé sous l'influence de sa main qui sauve.

CORRECTION

De deux maux, « le pire »

Devant l'être qui vient de faiblir, devant celui qui sème le désordre, devant celui dont la conduite contredit nos schèmes de valeur, devant celui surtout dont l'agir négatif vient blesser un aspect de mon amour-propre, je sens monter en moi la tentation de jouer au professeur de morale, « désintéressé » bien sûr !

Il faut l'expérience d'un long cheminement au cœur de ma faiblesse, au cœur surtout de la tendresse de Dieu, pour déceler, au premier abord, l'attitude déficiente qui se dissimule très souvent derrière la tentation de rectifier l'agir de l'autre.

L'infinie tolérance de Dieu ne s'explique que par sa constante aptitude à donner sa vie pour ceux qu'il a aimés.

De deux maux, nous avons appris à choisir le moindre, mais chez Dieu l'axiome se transforme et nous déroute : « de deux maux, lui, il choisit le pire ! »

Corriger ou donner sa vie ?

Bien souvent, il y a chez nous une joie mauvaise à pouvoir corriger celui qui nous contrarie, mais chez Dieu il n'est rien d'aussi pénible que de réprimander.

Quand il s'y résigne, c'est « le pire » qu'il choisit.

Il est, en effet, plus conforme à sa nature de « donner sa vie » que de corriger.

Ce qui est « le pire » pour nous est « le moindre » pour lui.

Deux fois charitables

Dieu a une inconcevable aptitude à « se corriger des défauts des autres ».

Au lieu d'insister pour rectifier notre conduite, il choisit instinctivement d'investir tout le poids de sa vertu au cœur de nos déficiences.

Pour nous, nous choisirons volontiers d'exiger un peu plus de charité de la part des autres plutôt que de prendre le parti d'être doublement charitables : charitables pour nous et charitables en plus pour ceux qui ne le sont pas assez !

Donner plus de relief à la blessure

Au fond, le père savait bien que la conscience du Prodigue était fortement tourmentée.

Souvent notre manie de vouloir tout corriger dans la conduite des autres révèle beaucoup de naïveté chez nous.

L'homme est habituellement écrasé sous le poids d'une obscure culpabilité.

Et, au moment où, après une faute, cette souffrance atteint son paroxysme, nous cédons facilement, et sous les plus légitimes prétextes, à la chance qui nous est donnée de mettre en un relief plus accusé la blessure que l'autre porte si douloureusement déjà.

C'est précisément en cette heure difficile qu'il attend de nous un signe de bienveillance qui l'éveille à ce qu'il y a de meilleur en lui et qui, sans cela, risque de sombrer dans ces eaux du mal qui viennent de l'envahir.

Corriger ou aggraver ?

Celui qui voudrait jouer au médecin sans en avoir la compétence risquerait de donner la mort au malade qu'il entend guérir.

Il faut une étonnante somme de détachement pour corriger sans risques d'aggraver les lésions déjà existantes.

Si l'humilité conduit au Paradis, l'humiliation précipite aux enfers !

Cela, le père ne l'ignore pas.

C'est là une évidence première que l'amour se dispense d'«apprendre».

«La Sagesse est initiée à la science de Dieu» (Sg 8,4).

«La Sagesse sait et comprend tout» (Sg 9,11).

CONVERSION

Corriger pour ma correction

Le jour où le Père m'a demandé de corriger mon semblable, j'étais bien loin de saisir toute l'envergure de son dessein.

À mon sens, la démarche s'avérait nécessaire pour le mieux-être de ce dernier et pour le bien de toute la communauté.

Mais je n'avais pas compté avec la sagacité de l'Esprit.

Je découvrirais un jour comment cette pratique devait me conduire à la conversion du cœur.

C'était là le but caché du Père.

Mon Dieu savait bien qu'avec sa lumière je finirais par comprendre la raison profonde de sa recommandation.

Le feu de la charité aidant, je devais expérimenter que la correction fraternelle n'est pas l'occasion d'un défoulement, d'une joie malsaine ou d'une valorisation facile au détriment de la personne qui vient d'être prise en défaut.

Guérir par surcroît d'être

Corriger chrétiennement, c'est être rendu participant de la double souffrance du Père qui a plus de mal à reprendre le délinquant que celui-ci ne peut en ressentir quand il constate son erreur et qu'il subit le redressement qu'elle lui occasionne.

Mais ce n'est là qu'une étape.

Je serai amené à reconnaître l'incalculable dose d'innocence dont je dois remplir mon cœur pour être en mesure de guérir l'autre sans risque d'ajouter à sa blessure.

Et, plus loin encore, l'Esprit me donnera de prendre conscience de l'inconcevable : c'est à mon insu que le baume guérisseur en viendra à s'échapper de ma personne sans que je m'en aperçoive.

Je ne viserai plus la correction pour elle-même, elle viendra « par surcroît ».

De son côté, le bénéficiaire en subira l'onction sans même l'identifier.

À la source

Le paradoxe éclate : celui qui ne peut corriger en raison de son innocence qui l'empêche de voir le mal qui atteint l'autre en plein cœur y féconde les sources vives et y suscite le jaillissement de la lumière qui désagrège le mal jusqu'en ses dernières racines.

AMOUR

La richesse d'être se trahit

Pour l'amour, il n'est qu'une vérité, c'est lui-même !

La plus haute forme de connaissance, la seule en définitive, c'est d'aimer.

Mais si, dans les formes inférieures de l'amour, l'acte peut avoir cours sans nécessairement entraîner le sujet avec lui, il arrive que, dans ses manifestations ultimes, l'acte d'amour exige l'investissement de tout l'être de celui qui le pose.

Le geste le plus anodin se voit chargé de toute la densité du sujet.

À vrai dire, ce n'est plus alors le geste qui entraîne tout l'être à sa suite, c'est la richesse débordante de l'être ainsi transfiguré qui se trahit dans le geste qui lui échappe.

La douleur cachée

C'est là l'explication du silence douloureux, enfoui dans le cœur du père, au moment où il dépose imprudemment l'héritage au creux de la main fragile de celui qui va le dilapider en se perdant.

Aucune condamnation, aucune recommandation, aucune manifestation de la douleur cachée.

L'enfant demeure ignorant du drame qui se vit dans l'âme du père en cette heure pénible et au long des jours et des nuits qui vont suivre.

Il est trop facile de corriger

L'instinctive pédagogie du père lui laisse entendre qu'il doit supporter seul cette croix dont le charge son enfant.

Il se refuse toutefois à se charger de la croix de son fils.

Il sait qu'elle a la mission providentielle de ramener le coupable au bon sens et à la vérité.

Une secrète intuition lui laisse entendre que maugréer, moraliser, corriger et menacer sont des attitudes trop faciles et trop spontanées chez tous pour être porteuses de vie – en lui aussi bien qu'en l'autre.

BLESSURE

Inconscient porteur de lumière

Plutôt que de s'attarder à l'ivraie qui monte, la sagesse et la grandeur d'âme du père ont choisi de cultiver l'espérance.

Elles vont chercher tout au fond de l'être perturbé les germes immortels de lumière et de bonté qui dorment en chacun.

Le père nourrit sa propre joie au lieu d'alimenter son désespoir.

Son regard ne peut se repaître que de vérité.

Et l'enfant, enterré dans le mensonge, a croisé les yeux de son père !

Il a été troublé en constatant que la « presbytie » du vieillard était absente de ces zones de surface où lui-même venait de se cantonner.

C'est comme si, à ce moment, dans une étincelle de vérité dont il était incapable de subir plus longtemps le choc, il lui avait été révélé qu'il était porteur d'une lumière, ignorée de lui, mais capable d'éclairer les autres et de les nourrir d'espérance.

La croix qui dissimule sa présence

L'enfant venait d'être blessé dans la plus belle partie de son être, mais il lui était impossible d'en souffrir parce qu'il demeurait étranger à lui-même.

C'est bien inconsciemment qu'il s'est retrouvé avec cette mystérieuse croix sur les épaules de son cœur.

Dans sa discrétion, la croix ne laissera pas son poids écraser le cœur du misérable : ce poids ne servirait qu'à le briser davantage.

L'égaré est actuellement fermé aux messages de la vie et n'a d'appétit que pour la mort.

La blessure qui guérit

C'est dans l'ombre du cafard grandissant que, peu à peu, cette croix viendra lui découvrir son mystérieux visage, et c'est dans le face-à-face du retour qu'il la découvrira dans toute sa lumineuse beauté : le seul poids dont son cœur était chargé étant celui d'un amour trop grand posé sur lui !

Il n'avait cru qu'à l'indifférence, à l'oubli ou, tout au plus, à une certaine forme de tolérance, et le voilà surpris de gratuité, de fête et de danses !

Il fait l'expérience de cette « blessure qui guérit » (Jb 5,18).

Vidé de son obscurité

La faim et l'humiliation qu'il a connues ne méritent plus désormais le nom de croix.

La seule croix qui sauve est celle qui vient de l'amour.

Elle lui a traversé l'âme en la vidant de son obscurité.

Elle l'a dilaté et perdu dans sa lumière glorieuse.

DISCRÉTION

Fécondité du silence

Pour être féconde, la croix doit se dissimuler.

Le secret de toute fécondité réelle est là.

Le moindre signe qui aurait pu laisser transparaître aux yeux de l'enfant quelque chose de la douleur du père aurait gâché toute « l'affaire ».

C'est comme si l'éventuelle faiblesse du père était venue dire à tous que la charge de vie dont son âme débordait n'était pas assez intense pour arriver à se manifester par elle-même et à se faire entendre au cœur de l'enfant.

Le symbole d'un arôme

Et c'est encore cette grandeur et cette beauté sublimes qui, par leur envergure, viendront mettre en relief la mesquinerie et la petitesse du jeu de l'enfant.

Ici, le père, à l'instar de la sagesse, investit à long terme.

La semence de la victoire à venir, il la cache au creux de cette terre aride qu'est le cœur du petit.

Il faudra que passe l'orage de ses impétueux désirs et qu'il se retrouve dans le silence macabre des dégâts accumulés pour que l'enfant entende enfin l'harmonie pleine des champs de son père.

Le rythme pacifiant des blés dorés servira d'appât à celui qui a perdu le sens des « choses d'en haut ».

Ce n'est qu'aux abords de la maison et contre le sein paternel qu'il comprendra : la couleur des blés et l'arôme des moissons qui l'avaient ramené n'étaient qu'une imparfaite image de la lumière paisible et de la « bonne odeur » qui étaient demeurées silencieusement cachées au cœur de celui qu'il avait méprisé et qui, depuis lors, avait persévéré dans l'attente du retour de celui qui n'avait rien compris.

L'heure de la révélation

Le pauvre, il avait toujours ignoré qu'il était attendu et qu'on ne pouvait vivre sans lui à la maison !

Son cœur malade avait appris à ne vivre que pour lui-même.

Comment aurait-il pu soupçonner que d'autres, que l'« autre » pouvait ne vivre que pour lui ?

Mais comme il fait bon découvrir la loi !

Et comme il bénit maintenant le ciel de ce qu'elle ne lui ait pas été révélée plus tôt ; il l'aurait alors profanée en lui refilant son mépris.

SILENCE

L'unique douleur du Père

Il s'éveille en même temps à la richesse du silence paternel.

Si les choses ont toujours été ainsi, quel héroïsme a-t-il donc fallu à son père pour taire cette agonie que lui avait occasionnée son geste irréfléchi.

Cette souffrance avait de multiples causes, il le reconnaît aujourd'hui : dilapidation d'un argent âprement gagné, arrogance et mépris de celui qui avait tout reçu, humiliation pour toute la famille du délinquant, etc.

Mais il s'éveille maintenant au fait que tous ces motifs n'étaient que des causes éloignées et bien secondaires.

L'unique douleur du père avait toujours été de se voir brutalement séparé de son enfant bien-aimé.

Consentir seulement à être soi

Ce dernier, quant à lui, avait « dilapidé » sa propre dignité, plus encore que l'argent de son père.

Et cette dignité perdue était la propriété de son père, à bien plus juste titre que l'héritage gaspillé.

Il sera à même de la retrouver, non pas d'abord en rectifiant sa conduite – une telle satisfaction n'arrivera jamais à compenser les dommages irréparables –, mais en consentant seulement à être lui-même, c'est-à-dire un fils pour son père ; en cherchant non pas à reconquérir un titre perdu, mais en cédant à un amour qui ne s'est jamais démenti, pour cette seule raison qu'il ne pouvait vivre sans celui qui le fondait et en était tout l'objet.

LUMIÈRE

Puiser la joie dans le scandale

Seuls les êtres qui, un jour, ont senti battre le cœur du Père au fond de leur cœur sont à même de traverser, sans en être souillés, le mal qui est en surface du pécheur, pour atteindre, au fond de son être, le point de lumière indéfectible où Dieu a fixé sa demeure ; seuls ceux dont le regard s'est logé à l'intérieur de celui du Père arrivent, comme lui, à puiser leur joie là où la malice des hommes ne trouve que matière à scandale et à critique.

« Si cet homme était prophète, il saurait qui est cette femme qui le touche, et ce qu'elle est : une pécheresse ! » (Lc 7,39).

N'être attentif qu'à la beauté

Le cœur a besoin d'une intense « discipline d'être » pour n'accorder d'attention qu'à la beauté et ne pouvoir se reposer que dans la lumière.

Et cela, même si l'ulcéré et le lépreux protestent : « J'ai péché contre le ciel et envers toi, je ne mérite plus d'être appelé ton fils. » Mais le père dit à ses serviteurs : « Vite, apportez-lui la plus belle robe et l'en revêtez » (Lc 15,21-22).

Une fête qui trahit les racines

Ce geste du Père va à l'encontre de nos approches !

Cette robe, la plus belle, n'est pas amenée en vue de couvrir la déchéance du fils et de la faire oublier, elle n'a pas pour but de le rendre plus présentable, elle n'ajoute rien à l'enfant.

Au contraire, c'est la « gloire de l'enfant » qui donne tout son éclat à cette robe qui devient ainsi la plus belle.

Elle se veut un ornement qui révèle, un tant soit peu, aux regards mal initiés, toute la somptuosité qui se cache au cœur de l'enfant et que le « flair » du père est seul à découvrir.

Quant à la fête, elle n'est pas d'abord une manifestation d'accueil inconditionnel du plus jeune de ses fils, mais l'unique reflet de la joie qui bat au cœur du vieillard.

Le raffinement de la discrétion

En un sens, l'amour authentique ne se soucie guère d'agir pour les autres !

Il est tout attentif à se nourrir de la joie qu'il puise en eux.

Il est d'abord sincérité avec lui-même.

Et c'est cette unité et cette harmonie interne qui, par ricochet, atteignent l'autre en plein cœur.

L'amour a trop de pudeur pour obliger l'autre à l'accueillir directement.

Il invente à profusion les gestes qui bénissent et béatifient, mais il ne peut les créer en fonction des autres !

Ils jaillissent à pleine source, et c'est cette aveugle profusion qui révèle à l'aimé l'insoupçonnable richesse d'être dont lui-même est le porteur.

Il n'ignore pas qu'il est le catalyseur de cette abondance de joie qui éclôt au cœur de l'autre, même si ce dernier se préoccupe peu de lui expliquer les chemins de la vie.

Cette entorse à l'étiquette est l'ultime raffinement de la discrétion de l'amour.

MOISSON

Tout s'enveloppe de mystère

Ici, le pardon et la contrition ont perdu leurs noms respectifs.

Ils ne correspondent plus à ce qu'ils ont évoqué jadis, au temps pénible des labours et des semailles.

Ils atteignent à des formes éminentes qui les assimilent à l'immuable fécondité de l'Esprit.

« La Sagesse est un miroir sans tache de l'activité de Dieu » (Sg 7,26).

Tout devient sacré et s'enveloppe volontiers de mystère et d'être.

L'envie desséchante

Le regard mal purifié n'y comprend plus rien et se campe en ses stériles dehors : « Ces derniers venus n'ont fait qu'une heure, et tu les a traités comme nous, qui avons porté le fardeau de la journée, avec sa chaleur (Mt 20,12).

« Oh ! je ne ferai pas route avec l'envie desséchante : elle n'a rien de commun avec la Sagesse » (Sg 6,23).

« Rentré dans ma maison, je me reposerai auprès d'elle [la Sagesse], car sa société ne cause pas d'amertume, ni son commerce de peine, mais du plaisir et de la joie » (Sg 8,16).

Il n'y a plus qu'à moissonner

C'est un peu comme si la main de la vie pouvait alors se dispenser de semer, de sarcler et d'émonder.

Elle n'a cure que de la moisson à cueillir, et celle-ci surgit comme par miracle sous chacun de ses pas !

« Ah ! vous tous qui avez soif, venez vers l'eau, même si vous n'avez pas d'argent, venez, achetez et mangez ; venez, achetez sans argent, sans payer, du vin et du lait » (Is 55,1).

Avant d'avoir été visité

Il n'y a aucune parole qui puisse faire entendre tout le mystère de la vie à un cœur que l'aisance de cette dernière n'a pas encore visité.

La Parole même doit s'avouer impuissante devant l'oreille ouverte aux seuls bruits de nos douloureuses conquêtes.

« Comment un homme peut-il naître, étant vieux ? » (Jn, 3,4).

PARDON

Le bonheur du pardon

« Pardonne-nous nos offenses comme nous pardonnons aussi à ceux qui nous ont offensés. »

Péguy disait ne plus pouvoir « passer à travers » cette prière.

Pourtant, elle peut devenir un jeu, une fête, pour celui qui s'est éveillé aux voies de l'Esprit.

Il nous faut dire davantage : le Père n'aurait jamais imposé cette loi du pardon à ses enfants s'il n'avait lui-même éprouvé toute la somme de bonheur qu'elle peut faire éclore au cœur de celui qui la pratique.

Devoir ou célébration

La miséricorde étant le dernier fond de Dieu, le diadème de l'amour gratuit, elle est, en conséquence, le couronnement de toute valeur et, comme suite naturelle, l'ultime béatitude.

En nous demandant de pardonner, Dieu nous invite donc, non à un pénible devoir, mais à la plus pure de toutes les joies.

L'amertume qui conduit à la vie

Dieu connaît si bien les lois de son être !

Il est tout naturel pour lui d'en vivre.

Mais pour nous qui, au contraire, avons appris les lois de la mort, il nous est pénible de vivre !

Il nous est plus facile d'aller, comme le Prodigue, à l'encontre de nos chemins que de demeurer à l'écoute de nous-mêmes.

Nous ignorons le « code familial » et il nous faudra inévitablement savourer d'abord l'amertume de l'exil et de la mort pour découvrir tout ce dont la main du Père nous avait gratifiés depuis toujours.

Pour ouvrir le cœur

Il semble que le père devait souffrir l'injure et l'arrogance de ses deux fils pour que, chez eux, la lumière se fasse.

Il n'a même pas suffi de cette souffrance muette, toute concentrée dans le secret de son être vulnérable comme pour en favoriser l'intensification.

Il y fallait encore le poids de la souffrance que ses deux fils allaient s'imposer à eux-mêmes pour qu'ils arrivent à déboucher enfin dans la plénitude du mystère.

Et le cas de l'aîné, qui demeure comme en suspens, semble vouloir suggérer qu'une souffrance seulement partielle – celle d'avoir été privé de son chevreau – n'aurait pas réussi à lui ouvrir le cœur et à le rendre capable d'accueillir la pauvreté.

VICTOIRE

La silencieuse patience de Dieu

Inconsciemment, je porte au fond de moi cette même blessure dont le Prodigue avait été marqué en croisant le regard de son père.

J'ignore actuellement l'intensité du mystère de grâce qui m'habite et à quel point mon cœur aveugle est déjà ouvert à la confiance.

Ce n'est qu'au jour où, du fond de mon être, je sentirai monter un flot de lumière et d'abandon qu'il me sera donné de percevoir tout ce que la silencieuse patience de Dieu aura accumulé là, pour moi, de grâce et de vie.

La joie spécifique du Royaume

Cette sève venue d'ailleurs me donnera la victoire définitive sur mes blessures.

Et cela, non en les détruisant, mais en me les révélant comme des obstacles constamment vaincus par la grâce.

C'est là la joie spécifique du Royaume : un être constamment sauvé parce que faible et impuissant.

Ma force : donner ma faiblesse

Cette grâce ne m'apportera pas une intensification de mes forces ; au contraire, avec elle s'éveillera un profond sentiment de toute cette faiblesse qui est en moi et que j'ignore encore aujourd'hui.

Mais Dieu se plaira à m'apaiser le cœur en me donnant la conviction que je peux me reposer absolument sur lui.

Ma seule force sera toujours de pouvoir remettre ma faiblesse dans la force de Dieu.

Il me tarde d'être initié à la « folie » de l'Esprit.

NÉANT

Purificateur et purifié

Pourtant, que de pertes, de dépouillements et d'humiliations auxquels je devrai consentir avant de pouvoir vivre la miraculeuse initiation !

Mais ce travail purificateur de la vérité est plus pénible à ce témoin de ma vie qu'est le Père qu'il ne l'est à celui qui se voit ainsi soumis à l'épreuve du dernier creuset.

Cela, pour de multiples raisons.

1. D'abord, le Père aime davantage l'enfant que ce dernier ne s'aime lui-même.
   Il est donc normal qu'il soit également plus sensible à sa souffrance.

2. Ensuite, le Père ayant déjà l'expérience de cette béatitude dont son enfant est privé, il se trouve qu'il est aussi plus à même de souffrir de tout ce qui peut manquer à ce dernier.

3. Et parce que le Père est dans une grande lumière, il est bien conscient du mensonge où l'enfant s'est enfermé, au moment même où celui-ci est joyeusement installé dans ce qu'il croit être la vérité.

4. Enfin, si le Père pleurait déjà au moment où l'enfant ne songeait qu'à jubiler sur les routes du monde, que penser du poids de sa croix quand il voit celui qui est l'objet de toute sa sollicitude souffrir et dans l'obligation de prendre le chemin du désert, sans comprendre encore le bien-fondé de cet itinéraire?

Ce parcours est pourtant indispensable à celui qui n'a pas encore rencontré la lumière.

À partir du néant et de la mort

Je dois devenir « rien ».

Sans cette réduction, Dieu ne peut agir en moi en tant que Dieu, car alors sa toute-puissance est réduite à « néant ».

Le « Maître de l'impossible » attend toujours mon entier dépouillement pour œuvrer en moi comme lui seul sait le faire.

C'est du néant qu'il a tiré la création.

(En tant qu'auteur de la nature, il exige déjà cette pauvreté absolue!) C'est d'un sein non fécondé par l'homme qu'il a voulu naître.

C'est d'un cadavre au cœur ouvert qu'il a fait resplendir la gloire de la résurrection.

C'est des ténèbres qu'il a fait jaillir la lumière, et c'est là où la mort du péché a abondé qu'il fait surabonder la vie de la grâce.

Le néant provoque la puissance

C'est donc au moment où je suis réduit à la plus totale impuissance, comme le Prodigue, Job ou le psalmiste descendu au fond de l'abîme, que je deviens un « lieu » privilégié pour l'agir de Dieu.

Plus encore, dès que je deviens « terre de néant », j'oblige Dieu à agir, à créer et à ressusciter, l'agir de Dieu ne pouvant absolument pas résister au vide, au néant et au péché offerts à son regard.

Ce serait contre nature chez lui.

En tant que Dieu

C'est alors seulement que Dieu agit en tant que Dieu.

Dès qu'il reçoit un apport quelconque de moi, je le réduis à agir à la manière des hommes. J'infirme sa toute-puissance créatrice : « Dites : nous sommes des serviteurs inutiles » (Lc 17,10).

C'est mon néant offert qui oblige Dieu à se révéler comme créateur, et c'est le péché que je lui présente qui l'incline à me sauver en dépit de tous les possibles obstacles.

La joie de l'infiniment pauvre

La lumière a commencé à poindre en moi, mais c'est son « éclatement » au sein de ma pauvreté qui me donnera la joie de pouvoir danser dans la conscience d'être si peu de chose.

Et cela, non parce que Dieu pourrait prendre plaisir à m'humilier, mais, au contraire, parce que l'infiniment pauvre m'aura invité à sa joie !

L'amour n'a pas de serviteurs

Dès que je puis compter sur mes « maigres revenus », la suffisance me guette !

Et, comme l'aîné de la parabole, j'ai constamment la tentation de faire appel à la justice alors qu'il s'agit d'entrer dans la gratuité de l'amour.

Je bénis le père du Prodigue qui n'a jamais pu consentir à céder un chevreau à l'aîné pour qu'il puisse fêter avec ses amis !

Ce geste maladroit aurait confirmé le grand frère dans la relation de justice où il se croyait établi, face à son père.

Le cœur du vieillard était trop bien façonné pour ne pas flairer là un piège.

Il aurait été déchiré de devoir agir avec son enfant comme il le faisait avec le dernier de ses serviteurs !

La liberté dont je suis capable

Viens, lui dit-il, entre dans cette fête pour t'initier au rythme de l'amour pur et comblant, pour réentendre battre au fond de toi le cœur de l'enfant que tu es depuis toujours, vivre la béatitude du pauvre et expérimenter toute la liberté dont j'ai rendu ton cœur capable.

Le serviteur avant l'enfant

Mon cœur d'enfant est à ce point défiguré que, à l'exemple des deux fils de la parabole, je vais instinctivement vers mon Père avec le désir et la «satisfaction» d'être reçu comme un serviteur.

L'un comme l'autre ne réclamaient qu'un salaire «mérité», quand le père, lui, ne pouvait recevoir que le poids du cœur de son enfant.

Cœur fidèle ou cœur blessé, peu lui importait !

C'est comme si, pour lui, «l'offrande du cœur» jetait loin dans l'ombre toute forme de fidélité et compensait très avantageusement toute la somme des infidélités.

La joie qui béatifie l'enfant

Le père ne peut se résigner en particulier à voir son « plus vieux » se réjouir et fêter pour la joie si maigre qui pouvait lui venir de ses labours accomplis et du froment cultivé.

La seule joie que la sagesse du vieillard veut surprendre dans le cœur de son enfant, la seule qui est digne de prendre place en lui est de se savoir l'enfant du père.

En comparaison de cette joie pauvre et béatifiante, toutes les autres joies du monde ne sont que tristesse et désolation.

La pauvreté du Père

C'est la joie inestimable du Royaume, la joie de Dieu lui-même étant de se savoir le Père de son enfant !

La joie de Dieu est celle d'un pauvre, et sa joie, c'est lui-même !

Le Père est pauvre : il dépend de son enfant !

Il n'est pas autonome et suffisant.

Tous ses biens – et ils sont là en abondance – ne sont pour lui qu'amertume et tristesse quand son enfant, fût-il ingrat et écervelé, n'est pas là, près de lui, dans sa maison.

Entendre battre le cœur

Le grand frère se refuse à cette contrainte « humiliante » et le puîné y consentira seulement le jour où la faim viendra l'y acculer.

Moi, je continue de rêver à tout le bien que je pourrais offrir à Dieu quand l'unique joie qu'il attend de moi est celle de ma présence, tout émaciée qu'elle puisse être.

À l'inverse, ma seule joie est et sera toujours celle d'entendre battre le cœur du Père contre le mien, en sachant parfaitement que son rythme, accéléré ou pacifié, est toujours conditionné par la douleur de mon absence ou la satisfaction de ma pré-sence.

MOI

Avec le regard du Père

Le « Tout ce qui est à moi est à toi » m'avait toujours semblé un peu froid, et c'est avec raison, je pense, que mon cœur a perçu là une défaillance quelconque.

La parabole m'est apparue harmonieuse en toutes ses parties le jour seulement où le Père m'a prêté son regard pour la lire !

L'unique bien

À ce moment, le « Tout ce qui est à moi est à toi » est apparu, à mes yeux émerveillés et à mon cœur rassasié, dans toute sa teneur originelle qui se lisait comme suit : « Tout ce que je suis est pour toi ! » Venait aussitôt son nécessaire complément : « L'unique bien que je possède, c'est Toi ! »

Symboles et idoles

Tout le reste n'était plus désormais que symboles, symboles qui se transformaient en idoles dès qu'ils se voyaient séparés de l'ultime « Signifié » : richesses, puissance, banquets, labours, danses, semailles et veau gras, tout se fossilise en l'absence du cœur de l'autre, source unique et exclusive de paix et de joie !

Ouvrir le cœur du Père

Autant le père insiste auprès de ses deux fils pour qu'ils ne soient que ses enfants, autant ces derniers doivent, à leur tour, n'exiger de lui que d'être pour eux le père qui leur tient lieu de tout.

C'est là la nature profonde de cette «violence» dont nous parle l'Évangile et qui réussit à conquérir le royaume, c'est-à-dire le cœur du Père.

En effet, c'est moins le royaume qui souffre violence que le cœur du Père, avide de se laisser ouvrir par celui de son enfant.

Force et faiblesse

Si ma faiblesse est ma force, la force de mon Dieu est sa faiblesse face à mon insistance et à mon audace d'enfant.

Table des matières

L'EXPÉRIENCE MYSTIQUE 7
  Orientalisme 69
  Hypothèse 71

LE SILENCE DE L'ÊTRE 81
  Silence et amour 83
  Contraste 86
  Techniques 90
  Silence et adoration 91
  Silence coupable 92
  Silence et célébration 94
  L'amour adore en se « livrant » ! 95
  Silence et engagement 98
  Comme le Ressuscité 99
  Silence et harmonie 107
  Rêve 109
  Contemplatifs 110
  Les exigences de votre cœur 111
  Enjeux 113
  Prodigue 117
  Vous révéler à vous-mêmes 118
  Votre désir 119
  L'attention du monde 121
  Le rêve de changer le monde 122
  Le monde et le Royaume 124
  Les grands moments de l'histoire 124
  Lois 126
  Scepticisme 127

À LA RACINE DU BONHEUR 131
  Vivre, c'est être rendu à soi-même 132
  Vivre, c'est risquer 135

LE DRAME DE LA SOUFFRANCE
ET LES MIRACLES DE LA NAÏVETÉ 149

LES ATTENTES INCONSCIENTES 183

    Première remarque 183

    Deuxième remarque 184

    Troisième remarque 185

    Besoins du mourant 188

    Notre crainte de la lumière et de la vie 189

    Impossible preuve 191

    La manière 193

    Loi de liberté 196

    Lois 198

    Attention 200

    Dernier combat 207

RETOUR VERS LE SEIN DU PÈRE 215

    Être 215

    L'école 217

    Liberté 219

    Joie 221

    Correction 223

    Conversion 225

    Amour 226

    Blessure 227

    Discrétion 229

    Silence 230

    Lumière 231

    Moisson 233

    Pardon 235

    Victoire 236

    Néant 237

    Moi 242

Achevé d'imprimer
en janvier 1994 sur les presses
des Ateliers Graphiques Marc Veilleux Inc.
Cap-Saint-Ignace, (Québec).